W9-ALC-920

POEMA DE FERNÁN GONZÁLEZ

ODRES NUEVOS

CLÁSICOS MEDIEVALES EN CASTELLANO ACTUAL

La presente colección consta de los siguientes volúmenes

EL CONDE LUCANOR
LIBRO DE BUEN AMOR
POEMA DEL CID
LIBRO DE APOLONIO
POEMA DE FERNÁN GONZÁLEZ
LEYENDAS ÉPICAS ESPAÑOLAS
MILAGROS DE NUESTRA SEÑORA
TEATRO MEDIEVAL
LIBRO DE LA CAZA DE LAS AVES
LAPIDARIO
LIBRO DE ALEJANDRO
CANTIGAS DE SANTA MARÍA
CUENTOS DE LA EDAD MEDIA
AMADÍS DE GAULA
SENDEBAR o
Libro de los engaños de las mujeres
LAS SIETE PARTIDAS

ODRES NUEVOS

aspira a hacer accesibles al gran público, por vez primera, los monumentos de la primitiva literatura española

ANÓNIMO

POEMA DE FERNÁN GONZÁLEZ

Texto íntegro en versión del

DR. D. EMILIO ALARCOS LLORACH
Catedrático de la Universidad de Oviedo

Él vierta añejo vino en odres nuevos
M. Menéndez y Pelayo

EDITORIAL CASTALIA
«ODRES NUEVOS»

Zurbano, 39 - 28010 Madrid - Tel. 319 58 57

Impreso en España - Printed in Spain
Unigraf, S. A. Móstoles (Madrid)

I.S.B.N.: 84-7039-025-2

Depósito Legal: M. 29406-1993

PRÓLOGO

EL MESTER DE CLERECÍA

Durante el siglo XIII florece en nuestra península un tipo de poesía narrativa que viene a contrastar grandemente con la épica de raigambre popular de los siglos precedentes. Este tipo de poesía presenta rasgos muy característicos, tanto en la forma externa y en la temática, como en el temple de sus autores. Son éstos «clérigos» —hombres cultivados— de la época, que aportan, por primera vez en nuestra literatura, la actitud que pudiéramos llamar «académica»: la de crear una obra literaria conforme a ciertos módulos, considerados razonables, y tratar con ella de elevar al pueblo —a los oyentes, más que a los lectores— hacia un gusto que juzgan superior. Así, frente a la irregularidad espontánea —sólo guiada por el sentimiento natural del ritmo— de los versos de las canciones de gesta, los poetas del mester de clerecía nos traen sus versos «a sílabas contadas», con estrofas rígidas y rimados con la férrea disciplina del consonante. Frente al poeta juglar de las gestas, cuyo nombre queda olvidado y que canta del pueblo, para el pueblo y con el habla del pueblo, los eruditos de la clerecía tratan de llevar a éste otros temas, y aunque pretendan hablar paladinamente como entre sí los convecinos, no pueden remediar la tentación de deslizar en sus «prosas» suculentos vocablos latinos ni la de decirnos alguna vez algo de sí mismos, e incluso su nombre, como Gonzalo de Berceo. Formados en estudios —más o menos hondos— librescos, son casi siempre librescos los asuntos que cantan, o cuentan, y su comunidad de formación es la causa del estrecho parentesco expresivo de estos autores; muchos «tópicos», muchos «clichés» que daban hecho el heptasílabo del hemistiquio o resolvían la búsqueda del consonante. Son temas religiosos, como en Berceo, novelísticos o histórico-legendarios de la antigüedad, como el Libro de Apolonio *y el* Poema de Alexandre. *Sólo uno de entre estos poemas del mester de clerecía se aparta de la temática de la escuela: el* POEMA DE FERNÁN GONZÁLEZ, *que vuelve al fondo autóctono histórico-legendario de que se alimentaba la tradición épica popular.*

EL POEMA DE FERNÁN GONZÁLEZ

En efecto, el autor de este poema parte para su creación del entusiasmo vibrante por los hechos, grandes o agrandados, cumplidos por las gentes de su misma «vividura», igual que los juglares poetas de las gestas.

Partícipe de arraigado «sociocentrismo» (Caro Baroja) considera a España lo mejor del mundo, a Castilla lo mejor de España, a la montaña (que no creo deba en el poema interpretarse sólo como la Montaña santanderina) lo mejor de Castilla; Alfonso el Casto lleva su simpatía frente al emperante francés, pero el conde castellano resulta aureolado por encima del rey leonés o el navarro.

Canta, pues, temas de la épica castellana, adopta su andadura a veces, tiembla con el mismo ardor nacional. Mas no se olvide que el autor es un «clérigo» —al parecer monje de Arlanza—, pertrechado con sus buenos estudios, lector al cresuelo de «dictados» y «escriptos» en sesuda y sabia lengua latina, conocedor al dedillo de cómo se sortea una rima dificultosa o de cómo se redondea una estrofa que no da para más con una muletilla reiterativa. Así, su poema pierde —para nuestra estimativa hodierna— mucha frescura, mucha unidad. ¡Pero cuánto gana —para sus propios gustos sabios e ilustradores del pueblo coetáneo— en erudición! Se remonta a los visigodos, hace un resumen —magro y reseco breviario— de la historia peninsular, guiándose evidentemente por relatos cronísticos y por leyendas orales: hemos de esperar 170 estrofas para que en realidad comience la historia del conde Fernán González. Bien es verdad que, en cuanto el conde en el poema no es más que una «personalización» de la tierra del poeta: Castilla, y en cuanto que es el proceso ascendente de Castilla —de pobre «alcaldía» a condado, de condado a reino, y de reino a rector hegemónico de la península— lo que canta el poeta, no resulta superflua esa introducción, sino al contrario tiende a ofrecernos la dura y mínima realidad de que nació la gran Castilla —la del siglo XIII del poeta, la de Alfonso el Sabio— para que sobre ese fondo resalte la labor prodigiosa del conde castellano.

Historia y leyenda

Cierto que el Fernán González del poema no es el conde castellano tal como se conoce por los documentos con que se construye la historia. Como dice Menéndez Pelayo, este «libertador de Castilla» resulta en los documentos «más afortunado y sagaz que heroico, más hábil para aprovecharse de las discordias de León y Navarra que para ampliar su territorio a costa de los moros».

Poco sabemos del hombre histórico. Desde el primer cuarto del siglo X hasta 970, año de su muerte, aparece el nombre del conde en los documentos. Sabemos que casó dos veces, que hizo fundaciones y dotaciones —como la de San Pedro de Arlanza—, que reunió bajo su poder los pequeños condados castellanos, que fue preso en 943 por Ramiro II de León y más tarde encarcelado por el rey navarro, y que si no consiguió la independencia de Castilla —como quiere la leyenda—, logró que el condado fuera heredado por sus descendientes.

Todo esto, convenientemente transfigurado, reaparece en la leyenda y por tanto en el poema. Probablemente el monje de Arlanza que lo compuso no inventó nada ni adornó de su propio peculio las tradiciones orales; su labor fue de selección y articulación en torno a un eje, a una intención, que sin duda fue el motivo por el cual escribió su poema: la glorificación de Castilla. Con miras a ello, se construyó todo el poema. De lo histórico pasó a la leyenda, lo significativo, lo halagador para el pueblo castellano. El autor del poema, con mayor consecuencia a sus propósitos, adoptó lo que consideraba (aunque inconscientemente) funcional en la figura del conde, funcional desde su punto de vista, esto es, en función del proceso de engrandecimiento de Castilla. En este proceso, la función del conde fue la de sacar Castilla de «premia y lacerio», la de equipararla a los poderes vecinos y ponerla en condiciones de asumir la primacía en la península.

Por lo demás, se observa —desde la historia a la leyenda— la típica reducción de elementos accesorios o repetidos que notamos en las gestas; así, al conde del poema le basta con un solo matrimonio. A la fabulación poética de la leyenda también convino invertir el orden de las prisiones del conde: primero en Navarra, luego en León, logrando con ello dar unidad de acción al papel de la mujer, doña Sancha, como liberadora.

EL AUTOR

Siguiendo el impulso de su «sociocentrismo» de horizonte corto, a que aludíamos antes, el autor del FERNÁN GONZÁLEZ *transparenta ufanamente el centro de su mundo: el monasterio de Arlanza. Y así como, buscando para su obra radio de acción más amplio, utiliza al conde en función de la magnificación de Castilla, paralelamente, y más en su intimidad, va trazando el proceso de la iglesia de Arlanza, y en función de ésta las vicisitudes del conde: en la ermita de San Pedro recibe Fernán González los ánimos celestes necesarios para sus empresas; a ella van sus beneficios y dona-*

ciones y a ella manda su cuerpo después de muerto. Fernán González es ante todo, para el poeta, el magnificador de Castilla y de San Pedro de Arlanza.

Ahora bien, por mucha habilidad que tuviera nuestro monje en articular y combinar sus fuentes —orales y escritas— en vista de sus propósitos de exaltación sociocentrista (en sus dos círculos: su monasterio, su tierra castellana), por mucho oreo que la inspiración popular tradicional dé a las monótonas estrofas de la cuaderna vía, estamos lejos de lo que se llama un gran poeta narrativo. Berceo y los autores del Alexandre y del Apolonio son bastante superiores. Además, el monje de Arlanza es posterior —al parecer— a esos otros «clérigos», y en él la huella de éstos —especialmente la del Alexandre, que trataba temas más afines— es muy fuerte. Carece de la limpia inmediatez —no vamos a llamarla «ingenuidad»— con que cuenta las cosas Berceo, y le falta la fluidez narrativa del Apolonio y el vigor del Alexandre. Abunda el tópico épico y las fórmulas del mester de clerecía; pocos hallazgos expresivos originales le podemos sorprender. Pero ya sólo por habernos conservado, más o menos poéticamente, los núcleos de leyenda sobre el conde castellano, vale la pena detenerse hoy en la lectura del viejo poema, que un monje de hacia 1250 escribió enardecido amorosamente por los altos hechos de su casta.

Esta edición

Se conserva el Poema de Fernán González en un ms. de la Biblioteca del Escorial. Hay algunos otros frag-

mentos que han llegado a nosotros en otros textos. El ms. no es completo: tiene lagunas y le falta su final. Se ha editado varias veces. La primera edición crítica fue llevada a cabo por el norteamericano C. C. Marden (1904); otra edición más manejable es la de A. Zamora Vicente (Clásicos Castellanos, 128, Espasa Calpe, 1946), a la cual remitimos al lector que quiera enterarse de pormenores acerca del poema. Finalmente, don Ramón Menéndez Pidal (en sus Reliquias de la poesía épica española, *1951) edita el poema críticamente, cotejándolo con las crónicas que lo prosifican y permiten conocer el contenido de las partes perdidas.*

Nuestra versión sigue esta última edición, y en los casos de lagunas en el texto del poema, trasladamos la versión en prosa de la Primera Crónica General, *para que no pierda continuidad el relato. También son de Menéndez Pidal los títulos de los capítulos y los titulillos al margen.*

Fieles al propósito de esta colección hemos tratado de modernizar lo más posible el texto. Dificultades se han presentado, y para vencerlas hemos dudado entre más de una solución. Pretendemos que la versión moderna conserve el metro original y la rima. Pero había que eliminar arcaísmos de vocabulario y de gramática. La modernización del léxico no ofrecía en general grandes trabajos; pero algunas veces conllevaba gran discrepancia respecto del texto antiguo; sólo en pocos de estos casos hemos conservado algún arcaísmo que otro. Los arcaísmos de construcción sintáctica, en especial la floja trabazón conjuncional de las frases, y el frecuente —aunque nunca violento— hipérbaton, si eran eliminados, nos conducían a estrofas muy poco fieles al original; era preferible en estos casos dejar el mínimo hipérbaton y la frase poco articulada —cosa, por lo demás, corriente en la lengua hablada—. Tampoco hemos querido violentar los hemistiquios que hoy —por la sinalefa— resultan cojos, o bien los que por otros motivos (venía, *por ejemplo, pronunciado* veniá) *resultan hoy largos; el haberlos corregido métricamente hubiera requerido demasiadas modificaciones y la agregación de aún más ripioso peso muerto.*

Esperamos que nuestra versión, tal como queda, sea legible para cualquier lector medio (palabras como abastar, fonsado, capellina, *etc., las encontrará, si las desconoce, en el diccionario).*

E. ALARCOS LLORACH.

I

ORÍGENES DE CASTILLA
Y DE FERNÁN GONZÁLEZ

Invocación.

1 En el nombre del Padre, autor de toda cosa,
y en el del que nació de la Virgen preciosa,
y en el del Santo Espíritu, que a la par de ellos posa,
del Conde de Castilla quiero hacer una prosa.

2 El Señor, que creó las tierras y la mar,
puesto que es buen maestro, me debe demostrar
algo de lo pasado que yo pueda contar:
cómo el Conde sus tierras ganó de mar a mar.

Exposición.

3 Primero os contaré la cuita en que vivieron
nuestros antepasados desde que las perdieron:
como hombres sin amparo huídos anduvieron;
por no haber muerto entonces gran pesar recibieron.

4 Muchas cuitas pasaron nuestros antecesores,
muchos fieros espantos, muchos malos sabores;
sufrieron frío y hambre con muchos amargores:
entonces los placeres de ahora eran dolores.

5 De este tiempo, entre tanto, os iré yo contando
cómo fueron su tierra perdiendo y recobrando,
hasta que venció a todos el conde don Fernando.

6 Diré toda la historia desde aquel tiempo antiguo
en que se dio la tierra al buen rey don Rodrigo,
cómo se la ganó el mortal enemigo
quedando sin honores como un pobre mendigo.

7 Fue el culpable Mahoma con su mala creencia,
pues predicó su boca mucha mala sentencia.

8 En cuanto por Mahoma fueron aconsejados
sintieron esas gentes los pechos alterados:
de la muerte de Cristo estaban olvidados.

9 Desde que los hispanos a Cristo conocieron
y conforme a su ley bautismo recibieron,
a ninguna otra ley nunca tornar quisieron,
sino que por guardarla muchos males sufrieron.

10 Por la ley de los santos que les fue predicada,
ofrecieron su sangre, fue luego derramada;
apóstoles y mártires —esta santa mesnada—
fueron por la verdad pasados por la espada.

11 Y las vírgenes santas así se mantuvieron:
ningún ayuntamiento con varón consintieron,
de los vicios del mundo talante no tuvieron,
y por esto al bestión mascariento vencieron.

12 Los primeros profetas esto profetizaron;
los santos confesores esta ley predicaron,
pues en los otros dioses nunca verdad hallaron;
san Juan lo confirmó cuando le degollaron.

13 Muchos reyes y condes y muchas potestades,
muchos papas y obispos, arzobispos y abades,

murieron en defensa de estas santas verdades,
y así en el cielo tienen todas sus heredades.

Preliminares. Los godos y la cristiandad.

14 Tornémonos al curso, nuestra razón sigamos,
volviéndonos a España, adonde comenzamos;
según como lo dice el escrito, empezamos
con los primeros reyes, a quien godos llamamos.

15 Vinieron estos godos —un pueblo descreyente—
enviados por Cristo de la parte de oriente;
venía del linaje de Magog esta gente,
conquistaron el mundo bien y cumplidamente.

16 No fueron estos godos al comienzo cristianos,
ni judíos de Egipto, ni de ley de paganos;
antes fueron gentiles, unos pueblos lozanos,
que para las batallas eran afortunados.

17 Por las tierras de Roma vinieron devastando,
a los unos prendiendo, a los otros matando.

18 Pasaron hasta España con su inmenso poder,
era por este tiempo el papa Alexandrer.

19 Ocuparon a España toda de mar a mar,
ni villa ni castillo no se pudo amparar;
desde África a Turonia pudieron dominar.
Fueron hombres de maña; Dios los quiso guiar.

20 Fueron del Santo Espíritu los godos inspirados;
los malos argumentos todos fueron hallados;
supieron que sus ídolos eran sólo pecados:
los que en ellos creían mal eran engañados.

21 Demandaron maestros para hacerse imponer

en la fe de don Cristo que habían de creer;
los maestros —sabedlo— fueron con gran placer:
hiciéronles la fe toda bien entender.

22 Dijeron los maestros: —«Esto no vale nada
si no sois bautizados en el agua sagrada;
vuestra culpa y error, herejía es llamada;
el alma será luego de pecados lavada.»

23 Recibieron los godos el agua del bautismo,
fueron la luz y estrella de todo el cristianismo,
la cristiandad alzaron bajando el paganismo
(hizo el conde Fernán González esto mismo:

Últimos reyes godos.

24 fue el conde muy lealmente por sus hombres servido).
Fueron de todo el mundo pueblo muy escogido;
en tanto el mundo dure no caerán en olvido.

25 Cuando los reyes godos de este mundo pasaron
(se fueron a los cielos, gran reino allí heredaron),
alzaron luego rey los pueblos que quedaron,
al cual —dice el escrito— don Cindos le llamaron.

26 Mientras reinó don Cindos, un buen guerreador,
tenía a San Eugenio España por pastor;
en Toledo moraba el santo confesor,
y de Sevilla Isidro era obispo y señor.

27 Al morir el rey Cindos, su natural señor,
el cual mantuvo a España y África en su valor,

25 c. *Cindos:* El rey visigodo Recesvinto (649-672).

un monarca muy bueno les mandó el Creador:
vino luego el rey Wamba, que fue tal o mejor.

28 Wamba, este nuevo rey —según habéis oído—,
venía de los godos, pueblo muy escogido,
el cual, por no reinar, andaba escondido
y usaba de aquel nombre por no ser conocido.

29 Por España buscando llegáronlo a encontrar,
hiciéronle por fuerza ese reino tomar.
Sabiendo que un veneno le había de matar,
nunca le habría llevado su deseo a reinar.

30 Fue rey muy derechero y de buena natura,
muy franco y muy valiente, y de mucha mesura,
leal y verdadero, y de muy gran ventura.
El que le dio la muerte merezca pena dura.

31 Delimitó las tierras, marcó los obispados,
fueron establecidos lugares señalados
para indicar los términos bajo ellos sojuzgados.

32 Dejó todas las cosas puestas en buen estado;
fuerte pesar le daba con su vida al pecado;
le dio un veneno a Wamba y murió emponzoñado:
en paraíso haya tan buen rey heredado.

33 Reinó después un rey, que Egica fue llamado;
dos años y no más vivió con su reinado,
al cabo de los cuales del siglo fue sacado,
sin pesar para el pueblo, pues fue malo probado.

32 b. *Pecado:* 'El diablo'.

34 Luego que finó Egica, a poco de sazón,
fue Vautizanos dueño de toda la región;
hijo era de los godos, poderoso varón,
hombre de gran esfuerzo y de gran corazón.

Prosperidad del rey Rodrigo.

35 Al morir Vautizanos, reinó el rey don Rodrigo:
lo tenían los moros por mortal enemigo,
era de los cristianos la sombra y el abrigo;
por la culpa en que estaba, no le era Dios amigo.

36 Éste fue, allende el mar, de gran parte señor,
ganó los Montes Claros, como buen guerreador,
de qué modo perdió la tierra es gran dolor.

37 Era entonces España toda de una creencia,
al hijo de la Virgen hacían reverencia;
al diablo le daba pesar tanta obediencia;
las gentes no tenían envidia ni pendencia.

38 Estaban las iglesias todas bien ordenadas,
siempre de aceite y cera estaban abastadas,
los diezmos y primicias lealmente eran dadas,
y en la fe eran las gentes todas bien arraigadas.

39 Vivían del trabajo todos los labradores,
los grandes poderosos nunca eran robadores,
guardaban bien sus pueblos como leales señores;
su derecho cumplían los grandes y menores.

34 b. *Vautizanos:* Witiza, rey visigodo (702-710), hijo de Egica.

35 a. Véase nota a 34 b.

36 b. *Montes Claros:* Región africana situada al sur del Atlas.

40 Estaba todo en orden y todo en tal estado
que este bien producía gran pesar al pecado:
y así instigó tal cosa el mal aventurado
que aquel gozo que había en llanto fue tornado.

41 De Vautizanos hijos no debieran nacer,
porque ellos la traición comenzaron a hacer;
el diablo lo urdió usando su poder:
así fue como España se comenzó a perder.

Traición del conde don Illán.

42 El conde don Illán —como ya habréis oído—
fue, por cobrar las parias, a Marruecos partido;
mas tal cosa entre tanto había acontecido
que en consecuencia el reino fue todo destruído.

43 Forzóle la gran ira a traición cometer,
habló con Vusarbán, que era de gran poder;
dijo cómo podría los cristianos vencer,
que ningún modo habría de España defender.

44 Dijo en aquellas horas el conde don Illán:
—«Dígote yo verdad, amigo Vusarbán,
si no te doy a España, no coma yo más pan,
ni en mí confíes más que si fuese yo un can.

41 b. Véase nota a 34 b.

43 b. *Vusarbán.* Táriq ben Ziyad, gobernador árabe de Tánger y lugarteniente de Musa ben Nusayr. Como se sabe, en 711, Táriq desembarcó en el peñón —que de él tomó nombre— de Gibraltar ('el monte de Táriq'), e inició la conquista musulmana de la Península Hispánica.

44 b. Véase nota a 43 b.

45 »He de pasar con esto muy aína la mar,
haré al rey Rodrigo sus guerreros juntar,
haré todas sus armas en el fuego quemar
por que después no tengan con qué se mamparar.

46 »Cuando hubiere hecho esto, tendrás de mí recado;
traspasarás el mar con todo tu fonsado:
como el pueblo estará todo bien descuidado,
fácilmente podrás conquistar el reinado.»

47 Se despidió de moros, luego pasó la mar.
¡Debiérase el mezquino con sus manos matar,
pues que la mar airada no le pudo ahogar!

48 Dirigióse hacia el rey luego que fue pasado:
—«Humíllome —le dijo— rey, mi señor honrado,
despaché tu mensaje y cumplí tu mandado,
helas aquí, las parias por las que fui enviado».

49 Recibióle muy bien el buen rey don Rodrigo,
tomólo por la mano y lo sentó consigo.
Dice: —«¿Cómo os ha ido, el mi leal amigo?
aquello porque fuisteis, ¿resultó paja o trigo?»

50 —«Señor, si tú quisieres mi consejo tomar,
¡gracias al Dios del cielo que te hizo reinar!,
ni moro ni cristiano se te puede enfrentar;
¿para qué quieres armas, si no has de pelear?

51 »Manda por todo el reino las armas desatar:
de unas hagan azadas para viñas labrar,
y de otras hagan rejas para panes sembrar;
hagan a los caballos y rocines arar.

52 »Todos labren por pan, peones y caballeros,
siembren cuestas y valles y todos los oteros;
enriquezcan tus reinos de grano y de dineros,
pues contra nadie tienes que oponer tus guerreros.

53 »Permite a los barones a sus tierras volver,
no les dejes ninguna armadura poner,
ni, salvo con las que aren, otras bestias tener;
hazlos, si no lo cumplen, en la tu ira caer.

54 »No tienes a tu hueste por qué darles soldadas:
labren sus heredades, vivan en sus moradas;
con mulas y caballos hagan grandes aradas,
que de eso han menester y no de otras espadas.»

55-56 En cuanto hubo acabado el conde su razón
—mejor no la dijeran cuantos en mundo son—,
envió don Rodrigo el rey luego sus cartas...

57 Era toda la corte reunida y ajuntada:
Aragón y Navarra, buena tierra probada,
León y Portugal, Castilla la preciada
(tal provincia en el mundo no sería encontrada).

Destrucción de las armas.

58 Cuando vio don Rodrigo llegada su sazón,
ante toda la corte comenzó su razón:
—«Oídme, caballeros, ¡así os dé Dios perdón!

53 a. *Barones:* 'Hombres nobles'. Aunque fuera rara la palabra barón como título nobiliario en Castilla, hay que suponer esta acepción, pues se aplica también en el *Cantar de Mío Cid* al mismo Campeador, a sus caballeros y a los del rey.

59 »Gracias al Dios del cielo, que así lo quiso hacer;
a Él todos tenemos mucho que agradecer
el que esté toda España en el nuestro poder,
aunque pese a los moros, que la solían tener.

60 »En África tenemos una buena partida
por la cual nos da parias la gente descreída,
mucho oro y mucha plata que llena la medida;
bien seguros ya estamos todos de esa partida.

61 »El conde, caballeros, las paces trae firmadas,
y por estos cien años las parias concertadas:
pueden vivir las gentes todas aseguradas,
no tendrán ningún miedo, serán en sus moradas.

62 »Pues que todos tenemos tales seguridades,
para vivir en paz no habrá dificultades:
peones y guerreros, todas las potestades,
que viva cada uno en las sus heredades.

63 »Lorigas, capellinas junto con brahoneras,
las lanzas y cuchillas, los hierros y espalderas,
espadas y ballestas, las azconas monteras,
echad todas al fuego, haced grandes hogueras.

64 »Haréis con ellas hierros, y con sus guarniciones
haced rejas y picos, azadas y azadones,
destralejas y hachas, segures y hachones,
cosas para labrar con ellas los peones.

65 »Siguiendo de este modo tendremos paz asaz;
los grandes y los chicos, hasta el menor rapaz,
vivirán de esta guisa en seguro y en paz;
quiero que esto así sea, si a vosotros os plaz.

66 »Esto que ahora yo os mando, sea luego cumplido,
así como yo digo debe ser mantenido:
el que armas trajere y ello fuere sabido,
háganle lo que se hace al traidor enemigo.

67 »Todo aquel que quisiere salir de lo mandado,
si acaso en toda España fuere después hallado,
mando que luego sea su cuerpo ajusticiado
y le den tal justicia como a traidor probado.»

68 El desbarato, como entendéis, se cumplió.
El diablo, que tiende tales redes, lo vio,
trastornó los cimientos, toda pared cayó:
no podréis recobrar lo que entonces huyó.

69 Por gran bien lo tenían los pueblos labradores:
la traición no sabían los pobres pecadores;
los que eran entendidos y bien entendedores
decían: —«¡Mal fin tengan tales consejadores!»

70 Hubieron de hacer todo lo que el rey ordenaba:
quien las armas tenía, luego las destrozaba:
el diablo antiguo de esto mucho se preocupaba,
sino en dañar cristianos, en nada nunca andaba.

Los moros desembarcan en Gibraltar.

71 Cuando fueron las armas deshechas y quemadas,
fueron estas noticias a Marruecos llevadas;
las gentes africanas fueron luego juntadas,
y al puerto de la mar enseguida llevadas.

72 Todos muy bien dispuestos para España pasar,
en cuanto fueron juntos traspasaron la mar,
arribaron al puerto que dicen Gibraltar.
Ningún hombre podría cuántos eran juzgar.

73 Todos estos paganos que África dominaban,
de los de Europa en contra despechados estaban;
entraron en la tierra donde entrar no pensaban.

74 Llegada fue a Sevilla la gente renegada;
no se les hizo en esa ciudad ni en otras nada;
pues era malamente la rueda trastornada,
y la cautiva España era mal quebrantada.

Batalla de Sangonera.

75 El buen rey don Rodrigo, ante lo acontecido,
mandó por todo el reino su pregón repetido:
«que el que con él no fuese antes del mes cumplido,
la fortuna y el cuerpo tuviese por perdido.»

76 Las gentes, cuando oyeron pregones aquejados,
que en fortuna y en cuerpos eran amenazados,
ningunos a quedarse se sentían osados:
fueron antes del plazo con el rey ajuntados.

77 En cuanto al rey Rodrigo su fuerza hubo juntado
—hueste sin poder era: la habían desarmado—,
fue a lidiar con los moros y pagó su pecado,
pues fue por los profetas esto profetizado.

78 Tenía el rey Rodrigo gente fuerte y ligera;
salió contra los moros, les paró su carrera;
se detuvo en el campo que dicen Sangonera,
cerca del Guadiana donde está su ribera.

79 Fueron por ambas partes los golpes avivados,
todos para lidiar estaban caldeados;
fueron, de la primera, los moros rechazados,
retiráronse entonces, con todo, los cruzados.

80 Por Dios era tal cosa dispuesta y otorgada:
que a los de España habrían de pasar por la espada,
a sus dueños la tierra les sería tomada;
hicieron en el campo los moros otra entrada.

81 Pensaban los cristianos estar asegurados
porque en el campo fueron los moros derrotados;
los paganos serían entonces ya tornados,
si no por quien no tengan perdón los sus pecados.

82 La mañana siguiente, los pueblos descreídos
todos fueron al campo, con sus armas vestidos,
tañendo añafiles y dando alaridos:
las tierras y los cielos parecían movidos.

83 Levantaron entonces un torneo pesado,
comenzaron el hecho do lo habían dejado;
murieron los cristianos todos, ¡ay, mal pecado!:
del rey, aquella hora, no supieron recado.

84 Hallaron en Viseo, luego, una sepultura
donde, como epitafio, decía la escritura:
«Aquí yace Rodrigo, un rey de gran natura,
el cual perdió la tierra por su mala ventura.»

85 Fueron, según oísteis, por los moros ganados:
muchos eran los muertos, muchos los cautivados;
huían los restantes maldiciendo sus hados;
por todo el mundo luego fueron estos mandados.

Sólo se salvan Castilla y Asturias.

86 Pero, a pesar de todo, buen consejo eligieron:
tomaron las reliquias, cuantas llevar pudieron,
se alzaron en Castilla, así se defendieron;
los de las otras tierras por la espada murieron.

87 Era Castilla Vieja un puerto bien cerrado,
más entrada no había que la de un solo paso:
los de Castilla el puerto tuvieron bien guardado
porque de toda España no había otro quedado.

88 Quedaron las Asturias, un pequeño lugar,
los valles y montañas que son junto a la mar;
no pudieron los moros por los puertos pasar,
por tanto las Asturias se hubieron de salvar.

Destrucción de España.

89 España la gentil fue luego destruída;
era señora de ella la gente descreída;
los cristianos mezquinos tenían mala vida,
sobre ellos nunca fuera tan gran cuita venida.

90 Dentro de las iglesias meten caballerías,
hacen en los altares muchas mañas impías,
y roban los tesoros de las sacristanías;
lloraban los cristianos las noches y los días.

91 Por lo que decir quiero se hicieron reprender:
apresaban cristianos, los mandaban cocer,
haciendo simulacro de quererlos comer,
porque así les podían mayor miedo meter.

92 Tenían otros presos que dejaban huir,
porque viendo las penas a los otros sufrir,
donde fueran, las nuevas habrían de decir.

93 Decían y afirmaban que los vieran cocer,
que cocían y asaban hombres para comer;
cuantos oían esto íbanse a perder,
no sabiendo de miedo a donde se esconder.

94 Así se iban huyendo de las gentes extrañas;
morían de gran hambre todos por las montañas,
no diez, veinte ni treinta, sino muchas compañas.

95 Muchos de ellos perdieron de miedo los sentidos;
mataban, a las madres, en brazos a sus hijos;
consejo no se daban mujeres ni maridos;
andaban con gran miedo muchos enloquecidos.

96 Y los hombres mezquinos que estaban escapados,
del gran bien que tuvieron estaban muy menguados:
querían más ser muertos o yacer soterrados
que tal vida vivir hambrientos y dañados.

97 Los hombres que otro tiempo vivieran sosegados,
se veían ahora en la tierra turbados,
comiendo el panecillo de sus hijos amados;
los pobres eran ricos y los ricos menguados.

98 Los míseros decían: —«¡En mala hora nacimos!:
diéranos Dios a España, guardarla no supimos;
si estamos en gran cuita, bien nos lo merecimos;
por nuestro mal sentido en gran yerro caímos.

99 »Si fuésemos nosotros como nuestros parientes,
no tendrían poder estas perversas gentes;
ellos fueron los buenos, nosotros impotentes;
nos tratan como lobos a corderos recientes.

100 »Porque ante Dios faltamos, Él se nos ha escondido;
es, lo que otros ganaron, por nosotros perdido;
partiéndonos de Dios hase de nos partido;
todo el bien de los godos por ello es confundido.»

101 Diera Dios por entonces gran poder al pecado:
hasta allende los puertos todo quedó asolado;
parece fuerte cosa, mas lo dice el tratado,
que a San Martín de Torres hubieron alcanzado.

102 Vivieron castellanos gran tiempo mala vida,
en tierra muy angosta, escasa de comida,
sufriendo mucho tiempo en la mayor medida
y muy medrosos ante la gente descreída.

103 En todas estas cuitas, aunque muy mal parados,
en la merced de Cristo seguían confiados,
que les daría gracia contra no bautizados.
—«¡Valnos, Señor —dijeron—, que seamos vengados!»

104 Entre tanto a Almanzor le tenían que dar
cien doncellas hermosas que fuesen por casar;
cada una por Castilla tenían que buscar;
tenían que cumplirlo aunque con gran pesar.

Oración de los fugitivos.

105 Duróles esta cuita muy larga temporada;
los cristianos mezquinos —compaña muy dañada—
decían: —«Señor, válganos la tu merced sagrada,
pues valiste a San Pedro dentro en la mar airada.

106 »Señor, que con los sabios valiste a Catalina,
y de muerte salvaste a Ester la reina,

101 d. *San Martín de Torres:* La basílica de Tours (dep. de Indre-et-Loire) en Francia, hacia donde se encaminaban los árabes de ᶜAbd al Rahman al-Gafiqí, cuando fueron derrotados por Carlos Martel en Poitiers el año 732.

y del dragón libraste a la virgen Marina:
Tú da a nuestras llagas consuelo y medicina.

107 »Señor, Tú que libraste a David del león,
mataste al filisteo, un soberbio varón,
quitaste a los judíos del poder babilón:
sácanos y nos libra de tan cruel prisión.

108 »Tú libraste a Susana de los falsos varones,
sacaste a Daniel de entre los leones,
libraste a San Mateo de los fieros dragones:
Señor, libra a nosotros de estas tentaciones.

109 »Libraste a los tres niños de los fuegos ardientes,
cuando allí los metieron los pueblos descreyentes,
cantaron en el horno cantos muy convenientes:
otra vez los libraste de bocas de serpientes.

110 »Cuando por un veneno murieron dos ladrones,
San Juan Evangelista, ante muchos varones,
bebió también gran vaso de las mismas pociones:
mayor mal no le hicieron que por comer piñones.

111 »Tú que así a los venenos quitaste su poder
que a San Juan no pudieron daño ninguno hacer,
Señor, por tu mesura, debesnos acorrer,
pues todo en Tí descansa: levantar o caer.

112 »Señor, Tú que quisiste del cielo descender,
en carne verdadera de la Virgen nacer,
y rescatarnos caros, a nuestro parecer:
no nos quieras dejar ahora así perder.

113 »Hemos errado mucho y contra Ti pecamos,
pero cristianos somos y la tu ley guardamos;
el tu nombre tenemos, por tuyos nos llamamos,
tu merced atendemos, otra no la esperamos.»

Elección del rey Pelayo.

114 Esta vida sufrieron y al Criador rogaban,
de llorar de sus ojos nunca se reposaban,
siempre, días y noches, su cuita recordaban;
oyólos Jesucristo, a quien siempre llamaban.

115 Díjoles por el ángel que a Pelayo buscasen,
que le alzasen por rey y que a él acatasen,
a defender la tierra que todos le ayudasen,
pues Él daría ayuda con la cual la amparasen.

116 Buscaron a Pelayo, como les fue mandado;
lo encontraron en cueva, hambriento y lacerado;
besáronle las manos y diéronle el reinado:
tuvo que recibirlo, pero no por su grado.

117 A los ruegos Pelayo tuvo que dar oídos;
creyéronse con él los pueblos guarecidos;
supieron estas nuevas los moros descreídos:
para venir contra ellos todos fueron movidos.

118 Donde supieron que era, viniéronle a buscar;
comenzáronle luego la peña a atacar;
allí quiso don Cristo gran milagro mostrar:
bien creo que lo oísteis alguna vez contar.

119 Saetas y venablos cuantos al rey tiraban,
ni a éste ni a su gente a rozarlos llegaban;
tan airadas como iban tan airadas tornaban
y, si no a ellos mismos, a otros no mataban.

120 Cuando vieron los moros que era cosa extraña
que sus armas matasen a su misma compaña,
descercaron la cueva, salieron de montaña,
pensando que contra ellos Dios tenía gran saña.

121 Este rey don Pelayo, siervo del Criador,
guardó tan bien la tierra que no pudo mejor;
fueron así perdiendo cristianos el dolor,
pero nunca perdieron el miedo de Almanzor.

Sucesores de Pelayo.

122 Finado el rey Pelayo —Cristo le dé perdón—,
reinó su hijo Favila que fue muy mal varón;
quiso Dios que mandase muy poco la región,
pues de rey vivió un año y poca más sazón.

123 La hija del rey Pelayo, dueña muy enseñada,
era con el señor de Cantabria casada;
le dijeron Alfonso, varón de lanza osada,
que ganó mucha tierra en virtud de su espada.

124 Éste ganó a Visco, que está en Portugal,
después conquistó Braga, región arzobispal,
luego Astorga y Zamora, y Salamanca igual,
ganó más tarde a Amaya, que es un alto poyal.

125 Muerto este rey Alfonso, señor aventurado
(sea en el paraíso tan buen rey heredado),
reinó su hijo Fabía, que fue malo probado;
quiso Dios que viviese poco en el reinado.

125 c. *Fabía:* Grafía deformada que se refiere al rey asturiano Fruela I (757-768), hijo de Alfonso I.

126 Reinó después Alfonso, un rey de gran valor,
el Casto le dijeron, siervo del Criador;
vivieron en su tiempo en paz y a su sabor;
éste hizo la iglesia dicha San Salvador.

Bernardo del Carpio.

127 Esta razón por fuerza debemos alargar,
pues quiero en el rey Carlos este cuento tornar:
hizo éste al rey Alfonso un mensaje enviar
de que venía a España para se la ganar.

128 Contestó el rey Alfonso a Carlos con recado
de que a ser tributario no estaba resignado,
que para darle parias no quería el reinado,
que le dirían torpe al hacer tal mercado.

129 Dijo que más quería como estaba quedar
que no el reino de España a Francia sojuzgar;
no se podrían de eso franceses alabar;
¡ya la quisieran ellos en cinco años ganar!

130 Carlos tuvo consejo sobre este mandado,
como menester era, bien no fue aconsejado;
diéronle por consejo, el su pueblo afamado,
que viniese hasta España con su poder armado.

131 Juntó todas sus fuerzas, grandes y sin mesura,
se encaminó a Castilla. Creo que fue locura:
al que le aconsejó nunca falte amargura,
pues fue aquella venida llaga de su ventura.

126 d. *San Salvador:* La Catedral de Oviedo.
127 b. *Carlos:* Carlomagno (742-814), rey de los francos y emperador de Occidente.

Dos derrotas de Carlomagno.

132 Supo Bernal del Carpio que franceses pasaban
y que a Fuenterrabía todos se aproximaban
a conquistar España, según ellos pensaban
que la conquistarían; pero en error estaban.

133 Bernardo consiguió grandes fuerzas juntar,
y desde allí enviólas al puerto de la mar;
tuvo todas sus gentes el rey Casto que dar;
no dejó hasta aquel puerto al rey Carlos llegar.

134 Siete reyes y condes de franceses mataron
—sabed que en la escritura así nos lo contaron—;
podéis creer que allí tantos muertos quedaron
que a las sus vecindades ya nunca más tornaron.

135 Túvose por maltrecho Carlos esa jornada;
viendo que por allí le impedía la entrada,
partió con asaz gente y toda su mesnada,
y al puerto de Marsella hizo luego tornada.

136 Cuando fueron al puerto los franceses llegados,
rindieron a Dios gracias, por quien fueron guiados;
holgaron y durmieron, que estaban muy cansados;
si entonces se volvieran, fueran bien venturados.

137 Tomaron el acuerdo de volver para España,
do no les resistiese ni torre ni cabaña.

138 Salieron esas fuerzas con toda su mesnada
y al puerto de Gitarea hicieron la tornada.

138 b. *Gitarea:* El paso de Cize (Navarra francesa).

139 Estas fuerzas de Francia, todas bien guarnecidas,
por los puertos de Aspa son luego conducidas;
fueran de buen acuerdo si no fueran venidas,
que nunca más tornaron donde fueron nacidas.

140 Dejemos los franceses en España tornados,
a conquistar la tierra todos bien preparados;
volvamos a Bernaldo, con sus hechos granados,
por quien los españoles todos eran juntados.

141 Partió Bernal del Carpio con toda su mesnada
—si sobre moros fuese, era buena probada—;
marcharon por un agua muy recia y muy airada,
que Ebro llamaron siempre y así es hoy llamada.

142 Fueron a Zaragoza, a los pueblos paganos;
besó Bernal del Carpio al rey Marsil las manos
pidiendo la vanguardia para los castellanos
contra los doce pares de esos pueblos lozanos.

143 Se la otorgó en seguida, diósela de buen grado:
nunca a Marsil le habían tal cosa demandado;
partió Bernal del Carpio con su pueblo esforzado,
de gentes castellanas iba bien resguardado.

144 Esta otra vez Bernaldo llevó la delantera
con gentes españolas de valentía fiera;

142 b. *Marsil:* Rey moro de Zaragoza según las leyendas de Roldán y de Bernardo del Carpio. La expedición histórica hacia Zaragoza, de Carlomagno, tuvo lugar en 778, y el gobernador árabe de la ciudad que se puso en relaciones con el emperador fue Sulayman ben Yaqzan ben Al-Acrabí.

vencieron a franceses de muy fácil manera:
más negra la derrota fue que la vez primera.

145 Esto os lo digo para que bien lo comprendáis:
es la mejor de todas la tierra en que moráis,
de todo está dotada la tierra en la que estáis:
os diré sus bondades para que las sepáis.

Elogio de España.

146 Es tierra muy templada, sin grandes calenturas,
no hace por el invierno destempladas friuras,
ninguna otra en el mundo tiene tales pasturas,
ni árboles frutales ni de otras mil naturas.

147 De entre todas sus tierras mejor es la Montaña:
de vacas y de ovejas no hay comarca tamaña,
hay allí tantos puercos que es cosa bien extraña;
sírvense muchas tierras de las cosas de España.

148 Es de lino y de lana tierra muy abastada,
de cera es sobre todas buena tierra probada,
no sería de aceite tal en el mundo hallada:
a Inglaterra y a Francia suele ser enviada.

149 Buena tierra de caza y buena de venados,
de río y de mar tiene buenos pescados,
ya se quieran recientes, ya se quieran salados;
son de estas cosas tales, pueblos muy abastados.

150 De panes y de vinos tierra muy comunal,
no se hallaría en el mundo otra mejor ni tal;
hay muchas buenas fuentes, mucho río caudal,
y muchas otras minas de que sacan la sal.

151 Hay allí muchas venas de hierro y de plata,
hay también venas de oro, son de estima más alta;
hay en sierras y valles mucho de buena mata,
todas llenas de grana para hacer escarlata.

152 Por lo que ella más vale aún no lo dijimos,
de los buenos caballos aún mención no hicimos;
es la mejor de cuantas tierras jamás oímos,
nunca tales caballos en el mundo los vimos.

153 Dejar os quiero de esto, asaz os he contado,
no quiero más decir por si fuera errado,
pero no olvidemos al apóstol honrado,
hijo del Cebedeo, Santiago llamado.

154 Quiso Dios fuertemente a España honrar,
cuando al apóstol santo quiso allí enviar,
frente a Inglaterra y Francia quísola mejorar:
sabed, no yace apóstol en todo aquel lugar.

155 Honróla de otro modo el precioso Señor:
hubo allí muchos santos muertos por su amor,
de morir a cuchillo no tuvieron temor,
muchas vírgenes santas, mucho buen confesor.

156 Porque España es mejor que sus alrededores,
vosotros los que en ella habitáis sois mejores,
pues sois hombres sesudos como vuestros mayores:
por ello en todo el mundo ganáis muchos honores.

Elogio de Castilla.

157 Pero de toda España Castilla es lo mejor,
porque fue de las otras el comienzo mayor;
guardando y temiendo siempre a su señor,
quiso acrecentarla así el Criador.

158 Aún Castilla Vieja, según mi entendimiento,
mejor es que lo otro: porque fue su cimiento,
pues conquistaron mucho con poco poblamiento,
como lo podréis ver en el acabamiento.

Los jueces de Castilla.

159 Pues quiérome, con tanto, de esta razón dejar
—temo, si más dijese, que podría errar,
y, además, ya no os quiero la razón alargar—,
quiero a don Alfonso, el Casto rey, tornar.

160 Rey fue de gran sentido y de muy gran valor,
siervo fue y amigo, mucho, del Criador,
fuese de aqueste mundo para el otro mejor;
quedó toda la tierra entonces sin señor.

161 Eran los españoles en gran cuita caídos,
durante mucho tiempo fueron desavenidos;
como hombres sin señor, tristes y doloridos,
decían: —«¡Más valdría no ser nunca nacidos!»

162 Viendo los castellanos las cosas así estar
y que no se avenían para otro rey alzar,
como no se podía sin pastor bien andar,
nombraron quien pudiese los canes rechazar.

163 Todos los castellanos a una se concertaron,
dos hombres de valía por alcaldes alzaron;
los pueblos castellanos por ellos se guiaron:
sin nombrar ningún rey largo tiempo duraron.

164 Diré de los alcaldes cuáles nombres tuvieron;
desde allí en adelante, los que de ellos vinieron
muchas buenas batallas con los moros hicieron
y con su fiero esfuerzo mucha tierra adquirieron.

165 El uno fue don Nuño, hombre de gran valor,
vino de su linaje el buen emperador;
el otro don Laíno, el buen guerreador,
vino de su linaje el Cid Campeador.

El padre y hermanos de Fernán González.

166 Tuvo Nuño Rasura hijo bien entendido,
Gonzalo fue su nombre, hombre muy atrevido,
amparó bien la tierra —más no habría podido—,
éste fue rechazando al pueblo descreído.

167 Tuvo Gonzalo Núñez tres hijuelos varones,
los tres de buenas prendas, de grandes corazones;
repartieron la tierra, diéronla a infanzones;
por donde ellos partieron allí están los mojones.

168 Don Diego González, el hermano mayor,
Rodrigo el mediano y Fernando el menor;
todos tres fueron buenos, mas Fernando el mejor,
pues quitó mucha tierra al moro Almanzor.

169 Muerto Diego González, caballero lozano,
quedó toda la tierra para el otro hermano,
don Rodrigo por nombre, que era el mediano:
señor fue mucho tiempo del pueblo castellano.

170 Cuando vino la hora que dispuso el Criador,
Ruy González se fue para el mundo mejor:
quedó toda la tierra al hermano menor,
don Fernando por nombre, cuerpo de gran valor.

Exordio sobre el conde.

171 Era Castilla entonces un pequeño rincón,
era de castellanos Montes de Oca mojón,
y era de la otra parte Hitero el hondón;
Carazo era de moros en aquella sazón.

172 Era toda Castilla sólo una alcaldía,
a pesar de ser pobre y de poca valía
nunca de buenos hombres fue Castilla vacía:
de cómo fueron ellos lo sabemos hoy día.

173 Fue de los castellanos el principal cuidado
elevar su señor al más alto estado;
de una alcaldía pobre, hiciéronla condado,
tornáronla después cabeza de reinado.

174 Se llamó don Fernando ese conde primero,
nunca hubo en el mundo otro tal caballero;
éste fue de los moros implacable guerrero,
por sus lides decíanle el buitre carnicero.

175 Hizo grandes batallas a la grey descreída,
y les hizo penar a la mayor medida;
logró ensanchar Castilla una muy gran partida;
fue durante su tiempo mucha sangre vertida.

176 El conde don Fernando con muy poca compaña
—contar todo lo que hizo parecería hazaña—
mantuvo siempre guerra con los reyes de España,
no daba más por ellos que por una castaña.

Crianza de Fernando.

177 Antes de que pasemos delante en la razón,
del conde he de deciros cuál fue su criazón:
hurtólo un pobrecillo que labraba carbón,
túvolo en la montaña una grande sazón.

178 Cuanto con su trabajo aquel hombre ganaba,
todo a su buen pupilo de buena gana daba;
cuál linaje era el suyo a veces le contaba
y con muy gran placer el mozo le escuchaba.

Oración del joven conde.

179 Cuando supo ir el mozo las cosas entendiendo,
oyó cómo a Castilla moros iban corriendo.
—«¡Válgame —dijo— Cristo, a Ti yo me encomiendo!;
en cuita está Castilla, según lo que yo entiendo.

180 »Señor, tiempo sería, si fuese tu mesura,
de mudar ya la rueda que anda a la ventura;
pasado han castellanos bastante de amargura,
no pasó nunca nadie tan mala desventura.

181 »Señor, tiempo sería de salir de cabañas,
pues no soy oso bravo para habitar montañas,
tiempo es ya de que sepan de mí las mis compañas,
y yo conozca el mundo y las cosas extrañas.

182 »Castellanos perdieron su sombra y gran abrigo
la hora en que murió mi hermano don Rodrigo:
era para los moros un mortal enemigo;
si yo de aquí no salgo, no valdré nunca un higo.»

183 Salió de las montañas, vino para poblado
con el su pobrecillo que lo había criado;
muy pronto fue sabido por todo el condado;
no tuvo mayor gozo nunca hombre engendrado.

184 A su señor querían los castellanos ver;
tenían chicos y grandes todos con él placer,
pusieron el condado todo en su poder;
mejor no lo podían en el mundo tener.

185 Cuando comprendió que era de Castilla señor,
alzó a Dios las manos, rogó al Criador:
—«Señor, Tú me ayuda —que soy muy pecador—
a sacar a Castilla del antiguo dolor.

186 »Dame, Señor, esfuerzo, seso y buen sentido
para tomar venganza del pueblo descreído,
que cobren castellanos algo de lo perdido,
y te tengas de mí en algo por servido.

187 »Señor, ha largo tiempo que viven mala vida,
los ha afligido mucho la gente descreída;
Señor, rey de los reyes, dame ayuda cumplida
para tornar Castilla a la buena medida.

188 »Si por alguna culpa caímos en tu saña,
no esté sobre nosotros una pena tamaña,
pues yacemos cautivos de todos los de España,
los señores ser siervos parece cosa extraña.

189 »Tú lo sabes, Señor, qué vida soportamos;
no nos quieres oir, pese a que te llamamos;
no sabemos, con queja, qué consejo sigamos;
Señor, grandes y chicos tu merced esperamos.

190 »Señor, esta merced te querría rogar,
que siendo tu vasallo no me quieras faltar;
Señor, contigo tanto espero conquistar
que a Castilla con ello de apremio he de sacar.»

II

ALMANZOR VENCIDO EN LARA

191 Acabó su oración el mozo, bien cumplida,
de corazón la hizo, bien le fuera oída:
hizo grandes batallas con la grey descreída,
mas nunca fue vencido en toda la su vida.

Toma de Carazo.

192 No quiso, aunque era mozo, darse ningún vagar,
comenzó contra moros muy fuerte a guerrear;
puso en marcha sus gentes, Carazo fue a cercar,
una sierra muy alta, muy firme castellar.

193 El conde castellano con todos sus barones
combatían las torres a guisa de infanzones,
con dardos y venablos peleaban los peones;
hacían a Dios servicio con puros corazones.

194 Con nada se podían los moros defender;
antes de que Almanzor los pudiese acorrer,
los moros, por la fuerza, se dejaron vencer:
tuvieron los cristianos las torres en poder.

Ira de Almanzor.

195 Llegó luego a Almanzor nueva de lo acaecido,
y supo cómo había a Carazo perdido.
Dijo: —«Soy reciamente del conde maltraído,
si ésta no me la paga, en mala fui nacido.»

196 Envió por su tierra con gran prisa troteros,
unos en pos de otros, cartas y mensajeros:
que viniesen muy pronto peones y caballeros,
que sus reyes viniesen a todos delanteros.

197 Cuando fueron con él juntados sus barones,
reyes y ricoshombres y muchos infanzones,
si todos los contásemos, caballeros y peones,
serían más, por cuenta, de siete legiones.

198 Cuando hubo Almanzor sus fuerzas ajuntado,
se dirigió a Castilla, sañudo y airado;
había muy fieramente al conde amenazado:
no dejaría tierra sin que fuese buscado.

Consejo de los castellanos.

199 Había aquestas nuevas el conde ya sabido,
cómo era Almanzor para venir partido;
era desde Almería grito de guerra oído:
mayor hueste no tuvo ningún hombre nacido.

200 Envió por Castilla aprisa sus mandados
que fuesen en Muñó todos con él juntados;
hizo saber las nuevas a sus adelantados:
cómo por Almanzor eran desafiados.

201 Habló con sus vasallos sobre qué acordarían,
quería oir a todos qué consejo darían:
si saldrían contra ellos o los esperarían,
o cuál sería la cosa que por mejor tendrían.

Discurso de Gonzalo Díaz.

202 Habló Gonzalo Díaz, un sesudo varón,
rogó que le escuchasen para dar su razón:
—«Oídme —dijo—, amigos, así os dé Dios perdón,
para ganar la lid no tenemos sazón.

203 »Más bien, si algún camino pudiésemos hallar
de modo que pudiésemos esta lid evitar,
ni tregua ni tributo debemos rehusar,
con los que se pudiesen los moros amansar.

204 »En muchas otras cosas gastamos nuestro haber,
mas, al lidiar, el hombre no se puede esconder:
todo el cuerpo y el alma debe en ello poner,
que por oro ni plata se pueden obtener.

205 »Muchos son, además, los pueblos renegados,
de a caballo y peones todos bien preparados;
somos poca compaña, de armas muy menguados:
seremos, si nos vencen, todos descabezados.

206 »Si un acuerdo pudiésemos con Almanzor tratar,
que, dando o prometiendo, la lid pueda evitar,
es el mejor consejo que conviene aceptar;
si hacemos otra cosa, no habremos de escapar.

207 »Todo mi parecer ya oído lo habéis;
si yo hablé sin sentido, ruego me perdonéis;
decid ahora vosotros lo que por bien tenéis;
por Dios, que lo mejor al conde aconsejéis.»

Réplica del conde.

208 Fue de Gonzalo Díaz el conde despechado,
pues no se tuvo de él por bien aconsejado;
aunque estaba sañudo no le habló destemplado,
mas contradijo todo cuanto él había hablado.

209 Dijo el conde: —«¡Por Dios que me queráis oir!;
a don Gonzalo quiero en todo rebatir,
contra cuanto él ha dicho quiérole yo decir,
pues cosas tales dijo que hasta no son de oir.

210 »Dijo de la primera que se evite el lidiar,
pero no puede el hombre la muerte excusar;
el hombre, pues, que sabe que no puede escapar,
honrada muerte debe a la su carne dar.

211 »Si un tributo pagamos y la tregua obtenemos,
de señores que somos vasallos nos haremos;
en vez de que a Castilla de su aflicción saquemos,
la aflicción en que era se la duplicaremos.

212 »El ganar por engaño es la cosa peor;
quien cayere en este hecho, caerá en gran error:
por prohibir el engaño murió el Salvador;
ser engañado vale más que no engañador.

213 »Nuestros antepasados lealtad siempre guardaron,
sobre las otras tierras ellos la heredaron;
por guardar la lealtad, sus muertes olvidaron;
todo cuanto quisieron con ella lo lograron.

214 »Siempre bien se guardaron de mala acción hacer,
no les pudo ninguno por esto reprender;
heredar no quisieron para menos valer
lo que ellos no pudiesen empeñar ni vender.

215 »Este deber llevaron nuestros antecesores:
el de, mejor que todos, velar por los señores,
de morir antes que ellos se creían deudores;
por ello recibieron el prez de los mejores.

216 »No debe ser, en ellos, otra cosa olvidada:
aunque un señor hiciese cosa desaguisada,
nunca ellos le mostraron saña vieja guardada,
sino siempre lealtad lealmente pagada.

217 »Así amañó la cosa el mortal enemigo,
cuando perdió la tierra el buen rey don Rodrigo:
nada quedó en España que valiese ni un higo,
sino Castilla Vieja, un lugar muy antiguo.

218 »Fueron nuestros abuelos mucho tiempo afrentados,
pues los tenían los moros muy fuerte arrinconados,
eran en poca tierra pocos hombres juntados,
por el hambre y la guerra eran muy azotados.

219 »Aunque mucha aflicción, mucha cuita sufrieron,
de otros siempre ganaron, lo suyo no perdieron,
por miedo de la muerte nunca yerros hicieron,
a los sus adversarios por esto los vencieron.

220 »¿Cómo se nos habría todo esto de olvidar?
Lo que ellos tuvieron debémoslo heredar;
si recordamos esto, no podremos errar,
puédenos todo aquesto de mala acción librar,

221 »Dejemos los parientes, a lo nuestro tornemos;
para ir a la batalla prepararnos debemos:
por miedo de la muerte la lucha no excusemos,
caer o levantar allí lo trataremos.

222 »Esforzad, castellanos, y no tengáis pavor;
venceremos las huestes de ese rey Almanzor;
libraremos Castilla de aflicción y de error:
él será el vencido, yo seré el vencedor.

223 »Aunque ellos muchos son no valen tres lentejas,
más pueden tres leones que diez mil comadrejas
y treinta lobos más que treinta mil ovejas.

224 »Amigos, de una cosa soy yo buen sabedor:
que sin duda vencido será el moro Almanzor;
de todos los de España me haréis a mí el mejor,
será grande mi honra, y la vuestra mayor.»

225 Cuando fue la razón del conde acabada,
con estos tales dichos su gente confortada,
se marchó de Muñó con toda su mesnada,
fuéronse para Lara tomar otra posada.

Los castellanos a Lara.

226 Allí el conde Fernando, cuerpo de buenas mañas,
cabalgó en su caballo lejos de sus compañas;
para cazar un puerco metióse en las montañas,
lo halló junto a un arroyo cerca de Vasquebañas.

227 El puerco se acogió en un fiero lugar,
donde estaba su cueva y solía albergar;
no se atrevió el puerco en la cueva a quedar,
huyó hasta una ermita, entró tras el altar.

228 Aquella ermita estaba por la yedra cercada,
por lo cual de toda ella no se veía nada;
tres monjes allí hacían vida dura y penada;
San Pedro se nombraba esa casa sagrada.

La ermita de San Pedro de Arlanza.

229 No pudo por la peña el conde aguijar;
reteniendo las riendas túvose que apear;
por donde el mismo puerco, entró en ese lugar,
penetró en la ermita, llegó hasta el altar.

230 Cuando vio don Fernando tan honrado lugar,
dejó tranquilo al puerco, no lo quiso matar.
—«Señor —dijo—, a quien temen los vientos y la mar,
si yo he errado en esto, me debes perdonar.

231 »A Ti me manifiesto, Virgen Santa María,
que de esta santidad, Señora, no sabía;
para hacer yo enojo aquí no entraría,
sino por dar ofrenda o hacer romería.

232 »Señor, perdón y ayuda deja que yo te pida
contra la grey pagana a nosotros venida,
ampara a Castilla de gente descreída,
pues si Tú no la amparas, la tengo por perdida.»

233 Cuando esta oración del conde fue acabada,
vino hacia él un monje de la pobre posada,
Pelayo era su nombre y su vida penada,
saludó y preguntóle cuál era su jornada.

234 Dijo que tras el puerco había allí venido,
siendo de su mesnada apartado y partido;
si, por pecados, fuese por Almanzor sabido,
no quedaría tierra donde escapase vivo.

235 Replicó el monje y dijo: —«Por Dios te ruego, amigo,
si fuese tu mesura, que te hospedes conmigo;
tendrás pan de cebada, pues no tengo de trigo,
mas sabrás que has de hacer contra el tu enemigo.»

236 Conde Fernán González, de todo bien cumplido,
del monje don Pelayo aceptó su convido;
del ermitaño santo túvose por servido;
mejor non albergara desde que fuera vivo.

237 [Y quedó allí aquella noche, recibiendo el hospedaje
de aquel santo hermano. Otro día...]

Profecía de fray Pelayo.

238 dijo don fray Pelayo al conde, su señor:
—«Hágote, oh buen conde, de esto sabedor:
que quiere tus acciones guiar el Criador,
vencerás el poder del moro Almanzor.

239 »Harás grandes batallas en la grey descreída,
muchas serán las gentes a quien quites la vida,
ganarás de la tierra una buena partida,
la sangre de los reyes por ti será vertida.

240 »No quiero más decirte de toda tu andanza;
será por todo el mundo temida la tu lanza;
todo lo que te digo tenlo por seguranza,
dos veces serás preso, créeme sin dudanza.

241 »Antes del tercer día serás en gran cuidado,
pues verás el tu pueblo todo muy espantado;
verán un fuerte signo que nunca fue observado,
será el de más esfuerzo por ello desmayado.

242 »Tú debes confortarlos lo mejor que pudieres,
has de decir a todos que parecen mujeres,
explícales el signo lo mejor que supieres,
perderán todo el miedo si se lo esclarecieres.

243 »Despídete ahora con lo que me has oído,
y este pobre lugar no lo eches en olvido:
hallarás el tu pueblo triste y dolorido,
haciendo lloro y llanto, metiendo grande ruido.

244 »Por lloro ni por llanto no hacen ningún entuerto,
pues piensan que eres preso o los moros te han muerto,
que quedan sin señor y sin consuelo cierto:
pensaban, de los moros, por ti salir a puerto.

245 »Mas ruégote, amigo, pídotelo de grado,
que cuando hubieres tú en el campo ganado,
se te venga al recuerdo mi convento penado,
y el pobre hospedaje que aquí te hemos dado.

246 »Señor, tres monjes somos, muy mísero convento,
la nuestra pobre vida no tiene par ni cuento,
si Dios no nos envía algún consolamiento,
daremos a las sierpes el nuestro habitamiento.»

Promesa del conde.

247 El conde dio respuesta como hombre enseñado.
Dijo: —«Don fray Pelayo, no tengáis más cuidado,
que cuanto habéis pedido os será otorgado;
conoceréis a quién hospedaje habéis dado.

248 »Si Dios aquesta lid me dejara ganar,
quiero todo mi quinto a este lugar dar,
y cuando yo muriere, aquí me soterrar,
porque mejore siempre por mí este lugar.

249 »Alzaré otra iglesia de más fuerte cimiento,
haré dentro de ella el mi soterramiento,
daré casa en que vivan de monjes más de ciento:
sirvan todos a Dios y hagan su mandamiento.»

250 Despidióse del monje alegre y muy pagado,
vínose para Lara el conde aventurado;
cuando allá llegó y le vieron salvado,
el lloro y el llanto en gozo fue tornado.

251 Refirió a sus barones qué le había acaecido,
que de un monje, que hallara en lugar escondido,
había sido huésped y aceptado el convido,
que mejor no albergara desde que fue nacido.

Comienza la batalla.

252 A la otra mañana mandó mover sus gentes;
para cada cristiano eran mil descreyentes;
los del conde eran pocos, mas buenos combatientes,
todos eran iguales, de corazón ardientes.

253 Bien se veían cerca los moros y cristianos;
ningún hombre podría calcular los paganos,
iban éstos cubriendo los oteros y llanos,
pensando a los cristianos tenerlos en sus manos.

254 Gran alegría hacían los pueblos descreídos,
iban tañendo trompas y dando alaridos;
daban los malhadados tan espantosos ruidos
que los montes y valles parecían movidos.

255 El conde don Fernando estaba muy quejado,
impaciente por verse con los moros juntado;
bien pensaba ese día reinar allí el Pecado,
que puso gran espanto en el pueblo cruzado.

Prodigio profetizado.

256 Uno de los del conde, valiente caballero,
cabalgaba un caballo hermoso y ligero,
hincóle las espuelas por cima de un otero,
y la tierra se abrió sumiendo al caballero.

257 Todos de esta señal fueron muy espantados.
—«Lo que aconteció —dicen— fue por nuestros pecados;
bien parece que Dios nos ha desamparados,
mejor juicio tendríamos si fuéramos tornados.

258 »Sin herida ninguna Dios nos quiere matar,
contra Dios no podemos sin daño pelear;
bien lo vemos que quiere a moros ayudar;
así, ¿cómo podremos contra ellos lidiar?»

259 —«Amigos —dijo el conde—, ¿cómo así desmayáis?,
ganar mal prez por siempre, en poco, no queráis;
de gallinas parece que el corazón tengáis,
pues sin herida alguna cobardía mostráis.

260 »Lo que este signo muestra os quiero descubrir,
y lo que quiere ser os pretendo decir:
si vosotros podéis la tierra dura abrir,
decidme qué otras cosas os podrán resistir.

261 »Frente a vosotros nada ellos han de valer,
¡y vuestros corazones veo enflaquecer!
Por esto no debéis ningún miedo tener,
puesto que yo este día he codiciado ver.

262 »Amigos, de una cosa soy yo buen sabedor:
ellos serán vencidos, yo seré vencedor;
en gran afrenta, en campo, seré con Almanzor,
veré los castellanos cómo guardáis señor.»

263 Después que el conde tuvo su razón acabada,
desplegar el pendón mandó a su mesnada;
fue clamando «¡Castilla!» con su gente esforzada;
entraron a atacar a la gente malvada.

264 [Y se portó allí muy bien Gustios González con dos hijos que tenía, mancebos de pocos años.]
Quien con él se encontraba no se escapaba sano.

265 También un rico hombre llamado don Velasco
[se portó muy bien, y Orvita Fernández, alférez del conde, e igualmente todos los demás que allí estaban.]

266 Ponían toda su fuerza en guardar su señor, *Victoria.*
no tenían de muerte ni pesar ni dolor,
el deber les quitaba de la muerte el pavor;
no había para buenos otro mundo mejor.

267 Cómo todos hicieron fácil es de entender;
tanto nunca hizo nadie con tan poco poder;
pocas cosas parecen más duras de creer:
trescientos caballeros tan gran pueblo vencer.

268 Caballeros y peones firmemente lidiaban,
todos, cuanto podían, a su señor guardaban;
al decir él «¡Castilla!» todos se esforzaban;
los moros, con todo esto, las espaldas tornaban.

269 Fuéles con un ataque el conde apremiando,
íbase hacia la tienda de Almanzor acercando.

270 Llegaron a Almanzor estos malos ruidos,
supo que habían sido sus poderes vencidos,
que eran muchos los muertos y muchos los heridos,
y que eran, de sus reyes, los mejores perdidos.

271 Demandó su caballo por lidiar con sus manos;
si se lo dieran, fueran dichosos castellanos,
pues muerto fuera o preso por los pueblos cristianos;
mas no lo consintieron los consejos paganos.

272 Para no deteneros con otras letanías; *Fuga de Almanzor.*
fue Almanzor vencido con sus caballerías:
allí fue demostrado el poder del Mesías;
el conde fue David y Almanzor fue Golías.

273 Huía Almanzor, muy triste y afligido,
diciendo: —«¡Ay, Mahoma, en mala hora en ti fío!
Todo mi gran poder está muerto y cautivo;
pues ellos muertos son, ¿por qué quedo yo vivo?»

274 Quedaron en el campo muertos muchos gentíos;
de los que sanos eran luego fueron vacíos.

Persecución y botín.

275 Cuando fueron vencidos esos pueblos paganos,
quedaron vencedores los pueblos castellanos;
conde Fernán González con todos los cristianos
fueron en su alcance por cuestas y por llanos.

276 Rindieron a Dios gracias y a la Virgen María,
porque les dejó ver tamaña maravilla;
duróles el alcance cerca de medio día;
se enriqueció por siempre la pobre alcaldía.

277 Cuando fue Almanzor gran distancia alejado,
quedó de los cristianos el campo bien poblado;
cogieron sus riquezas que Dios le había dado:
tan gran riqueza hallaron que no sería contado.

278 Hallaron en las tiendas abundante tesoro,
muchas copas y vasos que eran de un fino oro:
nunca vio tal riqueza ni cristiano ni moro;
satisfecho sería de ella Alejandro o Poro.

279 Allí hallaron maletas y muchos de zurrones,
llenos de oro y de plata, que no de pepiones,
muchas tiendas de seda y muchos tendejones,
espadas y lorigas y muchas guarniciones.

Dotación de San Pedro de Arlanza.

280 Hallaron de marfil arquetas muy preciadas,
con tantas cosas nobles que no serían contadas;
fueron para San Pedro las más de aquellas dadas;
están en el su altar hoy en día asentadas.

281 Tomaron de esto todo lo que ganas tuvieron,
quedó más de dos partes que llevar no pudieron;
las armas que encontraron dejarlas no quisieron;
con toda su ganancia a San Pedro vinieron.

282 Cuando fueron llegados, a Dios gracias rindieron;
todos, chicos y grandes, su oración hicieron,
todos por una boca «Deo gratias» dijeron,
cada uno sus joyas al altar ofrecieron.

283 De toda la ganancia que Dios les había dado,
mandó tomar el quinto el conde aventurado;
si mucho le tocó, lo había bien ganado;
mandólo dar al monje por su hospedaje honrado.

El conde en Burgos.

284 El conde con sus gentes y todos los cruzados
a la ciudad de Burgos fueron todos llegados;
holgaron y durmieron, pues estaban cansados;
llamaron a los médicos por sanar los llagados.

285 Aquí dejemos a éstos, que eran mal golpeados.
Conde Fernán González, el de hechos granados,
acababa de oir unos duros recados:
que eran por los navarros sus pueblos saqueados.

III

VICTORIA SOBRE NAVARRA Y TOLOSA

Cabalgada del rey navarro.

286 Mientras estaba el conde haciendo a Dios placer
lidiando con los moros con todo su poder,
el rey de los navarros empezóse a mover,
pensó toda Castilla robar y bien correr.

287 El conde castellano cuando esto hubo oído,
por poco, del pesar, no perdió el sentido;
mas, como león bravo, así dio un gemido:
—«¡Aún le pediré cuentas con mis armas guarnido!»

288 [Envió el conde sus cartas por toda Castilla, diciendo que se reunieran con él, caballeros y peones, antes de diez días.]

289 Cuando los castellanos oyeron los mandados,
bien pensaban que nunca de ellos serían vengados;
decían: —«En hora mala hemos sido engendrados,
por todos los del mundo somos desafiados.»

290 De esto los castellanos tenían gran pesar
de que los confundía quien los debía salvar.
—«Señor —dijo el conde—, quiérasme ayudar,
para que pueda pronto tal soberbia abajar.»

Desafío del conde.

291 Al rey navarro el conde envió demandar
si con él se quería en algo mejorar,
pues con comedimiento haría su bienestar;
si hacerlo no quisiese, mandólo desafiar.

292 Llegó hasta el rey don Sancho aqueste mensajero.
—«Me humillo —dijo— rey, luego de lo primero;
del conde de Castilla soy yo su mandadero,
te diré lo que él dice a ti, hasta lo postrero.

293 »Sepas que de ti tiene el conde gran querella,
que te agradecería que le sacases de ella,
pues trajiste a Castilla gran tiempo como pella,
viniendo cada año dos veces a correrla.

294 »Para dañar Castilla y arruinar castellanos,
acordaste amistad con los pueblos paganos,
hiciste guerra mala a los pueblos cristianos
porque no quieren ellos ponerse en las tus manos.

295 »Tiene de ti, además, gran rencor y amargura,
pues hiciste otra cosa de mayor desmesura,
porque mientras corría él por Extremadura,
hicístele tal daño que fue desapostura.

296 »Si de aquesta querella le quisieres sacar,
y, según es derecho, le quieres compensar,
harías lo que es justo y te dé bienestar:
si esto no quisieres, te manda desafiar.»

Negativa del rey navarro.

297 Cuando hubo el mensajero su razón acabado
y así su comisión hubo cumplimentado,
habló a su vez don Sancho y dijo su recado:
—«No le compensaré ni el valor de un centavo.

298 »Hermano, id al conde y decidle el mandado:
de que él me desafíe soy muy maravillado,
tan bien como debieran no le han aconsejado;
no le resultará bien este tal mercado.

299 »Le tengo por muy loco y de seso menguado,
sólo por desafiarme y haber a ello osado;
por haber a los moros esta vez derrotado,
por ufanía de ello, esto otro ha comenzado.

300 »Decidle que muy pronto le iré yo a buscar;
ni en torre ni en muralla se me podrá escapar,
sin que sea buscado hasta dentro del mar:
sabré por qué él osó a mí desafiar.»

Consejo de los castellanos.

301 Tornóse el mensajero algún tanto espantado,
por haber visto al rey fieramente airado;
al conde contó todo, nada le fue ocultado,
dijo cómo lo había muy fuerte amenazado.

302 Mandó llamar el conde a todos sus barones,
todos los ricoshombres, todos los infanzones,
tanto a los escuderos como a los peones;
quería de cada uno saber los corazones.

303 Cuando fueron reunidos comenzó el conde a hablar
—cualquiera notaría en él un gran pesar—:
—«Amigos, es preciso un consejo tomar
para que esta violencia podamos conjurar.

304 »Nunca de los navarros tanto mal merecimos,
nunca entuerto o vejamen nosotros les hicimos,
muchos fueron los daños que de ellos recibimos,
para reclamar de esto nunca sazón tuvimos.

305 »Pensé que nos querrían por ello compensar,
que daños y perjuicios querrían enmendar;
y he aquí que nuestra queja nos la quieren doblar,
pues a mí y a vosotros envían desafiar.

306 »Amigos, tal agravio nosotros no suframos;
hay que vengarse de ello, aunque todos muramos;
antes que tanta cuita y tal pesar veamos,
¡por Dios, los mis vasallos!, que los acometamos.

307 »Si los acometemos, tendremos mejoría,
por cuanto ellos poseen mayor caballería;
no mostremos nosotros ninguna cobardía,
tener temor por ellos sería gran villanía.

308 »Sabed qne en el combate no todos son iguales;
por cien lanzas se vencen las batallas campales;
más valen cien guerreros todos de ánimo iguales
que valdrían trescientos de los descomunales.

309 »Allí hay buenos y malos —siempre así suele ser—;
los malos nuestro ataque no podrán contener,
por éstos llegaremos a los buenos vencer:
he visto muchas veces tal cosa acontecer.

310 »Tienen, más que nosotros, peones y caballeros,
son hombres esforzados y de pies muy ligeros,
con lanzas y con dardos hacen golpes certeros;
traen buena compaña de buenos escuderos.

311 »Hemos de ser nosotros los que los ataquemos,
pues si ellos acometen ventaja les cedemos;
si saben que nosotros a ellos no tememos,
nos dejarán el campo antes que a herir entremos.

312 »Aún otra cosa os digo que bien la entenderéis:
muerto seré en pelea o en queja me veréis;
veré los castellanos cómo a mí acudiréis,
os será menester cuanta fuerza tenéis.

313 »Si de alguna manera al rey puedo llegar,
los agravios que me hizo piénsole demandar,
y nadie podrá hacerle de la muerte escapar;
si él muere, no tendré de mi muerte pesar.»

Batalla de la Era Degollada.

314 En cuanto la razón del conde fue acabada,
mandó contra Navarra mover la su mesnada;
entróles en la tierra cuanto una jornada;
encontró al rey don Sancho en la Era Degollada.

315 Cuando el rey vio que el conde venía tan airado,
enderezó sus aces en un hermoso prado;
el conde castellano, con su pueblo afamado,
no alargaron el plazo hasta otro mercado.

316 Abajaron las lanzas y fuéronlos a herir,
con el conde delante, como oísteis decir;
don Sancho de Navarra, cuando lo vio venir,
con sus aces dispuestas le salió a recibir.

317 Hería entre las aces que en frente suyo estaban;

314 d. *Era Degollada:* La Degollada es hoy todavía un término de Valpierre, entre Briones y Nájera (Logroño).

315 b. *Az, aces:* En los diccionarios modernos *haz,* 'tropa de caballeros tendidos en línea de batalla'. Conservamos la grafía medieval sin *h* de acuerdo con su origen etimológico *(acies).*

316 d. Véase nota a 315 b.

317 a. Véase nota a 315 b.

a donde iba el conde todos se encaminaban;
los unos y los otros firmemente lidiaban;
los navarros a muerte lidiaban y penaban.

318 Tan grande era la furia de todos en lidiar
que de lejos se oían los golpes resonar;
no se oía otra voz que las astas quebrar,
espadas reteñir y los yelmos cortar.

319 En las huestes navarras «¡Pamplona!» se gritaba,
entre los castellanos «¡Castilla!» se nombraba;
el rey don Sancho a veces «¡Castilla!» replicaba,
mostrando a castellanos que de ellos se burlaba.

Muerte del rey navarro.

320 El buen conde y el rey buscando se anduvieron
hasta que el uno al otro frente a frente se vieron
y por las armas ambos bien se reconocieron:
lo más recio posible entonces se embistieron.

321 Entrambos, uno al otro, tales golpes se dieron,
que las lanzas, hiriendo, a otro lado salieron;
nunca de caballeros tales golpes se vieron,
todas sus guarniciones de nada les valieron.

322 Acuitado fue el rey por la mala herida,
comprendió que del golpe iba a perder la vida;
la su gran valentía fue en seguida abatida,
y al instante, del cuerpo el alma fue salida.

El conde herido.

323 El conde fue del golpe fieramente llagado,
tenía gran lanzada por el diestro costado;
llamaba «¡Castellanos!», más nadie había quedado:
todos sus caballeros le habían desamparado.

324 No viendo a su señor, creyéronse perdidos
y que sus buenos hechos allí eran destruídos;
con queja, castellanos andaban afligidos
porque en muy grande yerro eran todos caídos.

325 Cada uno en lo suyo tanto tenía que hacer
que ninguno podía ir al conde acorrer;
les hizo la vergüenza todo el miedo perder
y fueron por la fuerza las aces a romper.

326 Sufriendo grandes golpes al conde se acercaron,
antes que a él llegasen a muchos derribaron,
por una y otra parte muchas almas sacaron;
muy maltrecho sin duda al buen conde encontraron.

327 Cuando los castellanos hacia el conde acudieron,
por fuerza a los navarros de allí alejar hicieron;
en cuanto allí llegaron a él se dirigieron:
temían que era muerto y gran miedo tuvieron.

328 Alzáronle de tierra y la herida le vieron,
todos que estaba muerto bien así lo creyeron;
de la pena, por poco, el seso no perdieron;
como si hubiese muerto, grandes duelos hicieron.

329 Entrando en los navarros, del conde los quitaron;
encima de un caballo a su señor alzaron,
la sangre de la cara toda se la limpiaron,
todos, como de nuevo, a llorar comenzaron.

325 d. **Véase nota a 315 b.**

330 [Pero el conde, como era hombre de gran corazón y muy esforzado, les dijo que no estaba malherido, y que debían pensar en luchar y en ganar el combate, pues él ya había dado muerte al rey don Sancho.]

Victoria de los castellanos.

331 Acometieron recio, con lucha encarnizada,
resonaba en los yelmos mucha gran cuchillada,
daban y recibían mucha buena lanzada,
daban y recibían mucha buena porrada.

332 No os queremos ya más el asunto alargar:
los navarros el campo tuvieron que dejar,
el rey don Sancho tuvo que allí muerto quedar,
mandólo luego el conde a Nájera llevar.

333 Dejemos a don Sancho —perdónele el Criador—,
los navarros maltrechos llorando a su señor
tenían por vengarse todos gran escozor,
salieron al buen conde todos por su amor.

El conde de Tolosa viene contra Castilla.

334 El conde de Piteos y conde de Tolosa
—pariente era del rey, esto es segura cosa—
tomó de sus condados compaña muy hermosa,
se dirigió a Castilla en hora desastrosa.

335 No tuvo tiempo el conde para a la lid llegar,
pero cuando lo supo no quiso detardar,
al buen rey de Navarra pensólo de vengar,
y al puerto de Sizara hubo en fin de arribar.

334 a. *Piteos:* Poitou, antigua región francesa, cuya capital era Poitiers.
335 d. *Sizara:* El paso de Cize (Navarra francesa).

336 Los navarros al conde todos se le allegaron,
lo que había ocurrido todo se lo contaron:
cuántos fueron los muertos, cuántos los que quedaron,
y cómo dos días antes en vano le esperaron.

337 El conde de Tolosa les dio consuelo cierto:
—«Gran pesar tengo —dijo—, pues el rey Sancho es [muerto;
pienso llevar por ello la venganza a buen puerto,
porque los castellanos me han hecho gran entuerto.»

Los castellanos quieren paz.

338 El conde don Fernando habíalo ya oído
cómo era el de Tolosa al puerto ya venido;
el conde don Fernando, aunque tan mal herido,
tal como estaba, allá enseguida fue ido.

339 Los vasallos pensaban que iban equivocados,
estaban contra el conde fuertemente airados
y eran de su señor todos muy despagados
porque debían siempre, por fuerza, andar armados.

340 Holgar no los dejaba ni estarse sosegados;
decían: —«No es tal vida sino para pecados,
que andan de noche y día y nunca están cansados;
él parece Satán, nosotros sus criados.

341 »Porque lidiar queremos y tanto lo amamos,
no reposamos más que cuando almas sacamos;
los de la Hueste Antigua, a éstos nos semejamos,
pues todas cosas cansan, y nunca nos cansamos.

341 c. *Hueste antigua:* Hoy *estantigua,* 'procesión de demonios que iban por los aires'.

342 »No ha duelo de nosotros que sufrimos tal vida,
ni lo ha por sí mismo que tiene tal herida;
si, ¡mal pecado!, muere, Castilla está perdida;
nunca estuvieron hombres en tan mala salida.»

343 Decidieron, de acuerdo, que no lo consintiesen,
que lo que no era bien luego se lo dijesen,
para que por orgullo en yerro no cayesen
y por mala codicia su señor no perdiesen.

Discurso de Nuño Laínez.

344 Dijo Nuño Laín: —«Señor, si tú quisieres,
si a ti te pareciere o tú por bien tuvieres,
estate aquí tranquilo hasta que sano fueres,
para que, por codicia, en yerro no cayeres.

345 »De nadie sé en el mundo que pudiera aguantar
la vida que debemos y debéis soportar;
vuestra gran ambición no os deja descansar,
y nos hará con ello la mesura olvidar.

346 »No confluyen las cosas todas a un lugar;
debe tener el hombre gran juicio en el lidiar,
si no, podrá muy pronto grande yerro tomar,
y toda su gran gloria podría así estragar.

347 »Los vientos, que son fuertes, los vemos descansar;
la mar, que es airada, la vemos amansar;
el diablo no se cansa, pues nunca puede holgar:
nuestra vida a la suya se quiere asemejar.

348 »Deja holgar a tus gentes, a ti mismo sanar,
tienes muy fuerte llaga, déjala reposar;
deja venir tus gentes, las que aún han de llegar
muchos son por venir, débeslos esperar.

349 »Tú serás en diez días del golpe bien curado,
y será en ese plazo el tu pueblo llegado;
te pondrás en el campo con tu pueblo afamado;
el conde, muerto o preso, será desbaratado.

350 »Señor, acabo aquí lo que decir quería;
mejor consejo que éste, señor, yo no sabría;
no creas que lo digo por miedo y cobardía,
querríate guardar como al alma mía.»

Réplica del conde.

351 Cuando hubo terminado don Nuño su razón,
comenzó el buen conde, ese firme varón
(era de tan buen juicio como fue Salomón,
y nunca fue Alejandro de mayor corazón).

352 Dijo: —«Nuño Laínez, buena razón dijisteis;
las cosas como son así las expusisteis;
que aplacemos la lid, creo que pretendisteis;
quien quiera que os lo dijo, mal en oírle hicisteis.

353 »Nunca debe, el que puede, una lid aplazar,
quien tiene buena hora otra quiere esperar;
nunca un día perdido se puede recobrar,
jamás en aquel día no podemos tornar.

354 »Cuando el hombre su tiempo quiere en balde pasar,
no quiere de este mundo otra cosa llevar
sino el estar ocioso y dormir y holgar;
del tal muere la fama cuando llega a finar.

355 »El dichoso y el mísero ambos han de morir,
ni el uno ni el otro no pueden de ello huir;
quedan los buenos hechos: éstos han de vivir,
de ellos toman ejemplo los que han de venir.

356 »Todos los que un gran hecho quisieron realizar,
por muy grandes trabajos tuvieron que pasar;
no comen cuando quieren ni cena ni yantar,
los vicios de la carne débenlos olvidar.

357 »No cuentan de Alejandro las noches ni los días,
cuentan sus buenos hechos y sus caballerías;
y hablan del rey David que mató a Golías,
de Judas Macabeo, hijo de Matatías;

358 »de Carlos, Baldovinos, Roldán y don Ojero,
Terrín y Gualdabuey, Arnaldo y Olivero,
Turpín y don Rinaldos y el gascón Angelero,
Estol y Salomón, otro su compañero.

359 »Estos y otros muchos que no han sido nombrados,
por lo que ellos hicieron serán siempre mentados;
si tan buenos no fueran, hoy serían olvidados;
serán los buenos hechos hasta la fin contados.

360 »Por tanto es necesario que los días contemos,
los días y las noches en qué los expendemos;
cuantos en balde pasan no los recobraremos;
amigos bien lo veis, qué mal juicio hacemos.»

361 Caballeros y peones, los llegó a convencer:
a cuanto él les decía no sabían responder,
cuanto él por bueno tuvo hubiéronlo de hacer;
su discurso acabado, mandó luego mover.

Batalla en el vado del Ebro.

362 El conde don Fernando con toda su mesnada,
llegaron hasta un agua muy fuerte y muy airada
—dijéronle siempre Ebro, así es hoy llamada—,
dióles gran sobresalto tener que ser cruzada.

363 Tenían los tolosanos la ribera guardada;
esto a los castellanos no les importó nada,
y dando y recibiendo mucha buena lanzada,
fue la corriente de agua muy pronto atravesada.

364 Gran peligro tuvieron en pasar aquel vado,
fue, de los petavinos, gran pueblo derribado,
aunque no lo querían bebían de mal grado,
los unos se ahogaban, otros salían a nado.

365 Abrió a través del agua el conde su carrera,
los de Tolosa hubieron de dejar la ribera;
ordenó las sus aces en medio de una glera,
y empezó a acometerlos de una extraña manera.

366 Cuando hubo el buen conde el río atravesado,
se lanzó contra ellos según venía airado;
aquel al que alcanzaba era muy malhadado:
enviaba a sus parientes muy pronto mal recado.

367 El conde don Fernando, conocedor extraño,
hería a los petavinos y hacíales gran daño,
rompía las guarniciones como si fuesen paño;
no les valía esfuerzo ni les valía engaño.

368 A él luego acudían los sus buenos barones,
pues tenía allí muchos y buenos infanzones;
de un lugar eran todos y de unos corazones;
sufrían tolosanos, padecían gascones.

364 b. ***Petavinos:*** **Los habitantes y naturales de Poitou, región francesa.**

365 c. **Véase nota a 315 b.**

369 Pero como eran tantos los iban aquejando;
fieramente la lucha ya se iba inflamando,
íbase de hombres muertos esa glera poblando,
los maltraía recio el conde don Fernando.

370 Andaba por las aces muy fieramente airado;
porque no los vencía andaba muy cuitado;
dijo: —«No puede ser, aunque pese al pecado,
que tolosanos salgan con bien de este mercado.»

371 Metióse por las aces muy fuerte espoleando,
la lanza sobre mano, su pendón ondeando.
«¿Dónde estás, el buen conde?», así iba voces dando.
«¡Sal a lidiar al campo! ¡Mira aquí a don Fernando!»

372 Antes que los dos condes viniesen a heridas,
las gentes tolosanas todas fueron huídas;
nunca ningunas gentes fueron tan mal cumplidas,
pues fueron en gran miedo y en mal precio metidas.

373 Fueron todos huídos por una gran montaña,
quedóse con el conde muy escasa compaña,
nunca fue el tolosano en desgracia tamaña,
que el conde de Castilla le guardaba gran saña.

Muerte del conde de Tolosa.

374 El conde de Tolosa mucho fue espantado,
pues vio que don Fernando venía muy airado;
para que no creyeran que estaba amedrentado,
con sus armas, se hizo de su gente apartado.

370 a. Véase nota a 315 b.
371 a. Véase nota a 315 b.

375 El conde don Fernando, hombre sin crueldad,
olvidó, por su ira, la mesura y bondad:
embistió al de Tolosa con furia y voluntad,
y no dudó de herirlo sin ninguna piedad.

376 El conde castellano, guerrero natural,
hirió al tolosano de lanzada mortal;
de la herida el gascón acuitado fue mal,
dijo con altas voces: «¡Santa María, val!»

377 El conde de Tolosa así fue mal herido,
del caballo en seguida cayó a tierra abatido;
decir no pudo nada, pues fue pronto transido;
en cuanto él hubo muerto, su pueblo fue vencido.

378 Las gentes tolosanas muy aprisa huyeron,
pero los castellanos a trescientos prendieron;
muchos fueron allí los que entonces murieron:
así los castellanos a gran gloria subieron.

Honras fúnebres.

379 Ved el conde orgulloso, de corazón lozano,
oiréis lo que hizo luego al conde tolosano:
le desarmó su cuerpo él mismo de su mano,
no le hizo menos honra que si fuese su hermano.

380 Cuando el conde de todo le hubo despojado,
lavóle y vistióle de un tejido preciado,
echóle en un escaño sutilmente tallado
que lo había a Almanzor en batalla ganado.

381 El conde castellano, con todo su consejo,
hízole un ataúd —no lo habría parejo—,
ricamente vestido con un paño bermejo,
de clavos bien dorados brillantes como espejo.

382 Mandó a sus vasallos de la prisión sacar,
mandóles que viniesen a su señor guardar,
y a grandes y a chicos hizo a todos jurar
que no se separasen de él hasta su lugar.

383 El cuerpo amortajaron, como costumbre era,
de unos paños preciosos, ricos de gran manera;
dióles de qué gastar en toda su carrera,
mandóles dar mil pesos para cirios de cera.

384 En cuanto el conde hubo el cuerpo amortajado,
se cogió el ataúd, de clavos bien cerrado,
fue sobre una acémila muy pronto aparejado,
mandó que lo llevasen luego hasta su condado.

385 Tolosanos mezquinos, llorando su mal hado,
sus caras afiladas, pueblo desamparado,
llegaron a Tolosa, cabeza del condado;
fue, como de primero, el llanto renovado.

IV

ALMANZOR VENCIDO EN HACINAS

Almanzor vuelve con mayor ejército.

386 Dejemos tolosanos tristes y desgraciados,
que ya a Tolosa eran con su señor llegados;
tornemos en el conde de los hechos granados,
que acababa de oir otros malos recados:

387 que venía Almanzor con fuertes contingentes:
con lorigas, cien mil caballeros valientes,
contar nadie podría los peones combatientes;
junto a Lara, en Muñó, eran todas sus gentes.

388 Cuando fue Almanzor la otra vez vencido
con el pesar que tuvo a Marruecos fue ido;
fue el llamamiento en toda Africa difundido;
fue, como a guerra santa, todo el pueblo movido.

389 Los turcos y los árabes, esas gentes ligeras,
que son en las batallas unas gentes certeras,
con sus arcos de nervios y ballestas cerveras,
de éstos venían llenos senderos y carreras.

390 Venían los almohades y los benimerinos,
trayendo en los camellos sus hornos y molinos;
venían también moros del oriente vecinos:
de todos éstos eran cubiertos los caminos.

391 De estas gentes venían allá sin cuenta y tiento,
no eran del mismo origen ni de un entendimiento,
más feos que Satán con todo su convento
al salir del infierno sucio y carboniento.

392 Cuando fueron juntados y pasaron la mar,
arribaron al puerto que dicen Gibraltar;
pensaba, del buen conde, Almanzor se vengar:
con ganas de cumplirlo no podía parar.

393 De Córdoba y Jaén con toda Andalucía,
de Lorca y Cartagena con toda Almería,
de muchas otras tierras que nombrar no sabría,
ajuntó Almanzor mucha caballería.

394 Cuando fueron reunidos comenzóse a acercar:
pensando bien a España sin falla conquistar,
que el conde castellano no podría escapar
y habría, de muerte mala en prisión, de acabar.

Acampan los moros en Hacinas.

395 Estaba ya en Hacinas esta gente maldita;
todos los castellanos eran en Piedrahita;
el conde —la su alma de pena sea quita—
se fue para San Pedro, aquella su ermita.

396 En cuando fue a la ermita el conde allegado,
preguntó por su monje, don Pelayo llamado:
diéronle como nuevas que había ya finado,
y que hacía ocho días que estaba soterrado.

397 El conde entró en la ermita con muy gran devoción,
hincóse de hinojos, pronunció su oración,
de los ojos llorando hizo su petición:
—«Guárdame Tú, Señor, de error y de ocasión.

El conde en la ermita de Arlanza.

398 »Señor, por el deseo de hacer a Ti servicio,
paso gran sufrimiento y dejo mucho vicio;
de este cuerpo penado te hago sacrificio,
con moros y cristianos métome en gran bullicio.

399 »Pues los reyes de España, con profundo pavor,
se olvidaron de Ti, que eres su Señor,
tornándose vasallos del rey Almanzor.

400 »Cuando yo vi que ellos eran en tal error
y por miedo de muerte hacíanlo peor,
nunca de su compaña después tuve sabor:
por hacerte servicio, no quise más su amor.

401 »Quedéme yo entre todos solo y desamparado,
no me asustó la muerte ni quise aquel pecado:
en cuanto vieron ellos que yo estaba apartado,
luego fui de ellos todos muy fuerte amenazado.

402 »Me llegaron las cartas a Muñó en aquel día:
vinieron mensajeros, cinco en el mismo día:
cómo me amenazaban reyes de Andalucía,
porque de los de España yo solo me erguía.

403 »Sus fuerzas sobre mí hubieron de ajuntar,
unos venían por tierra, otros venían por mar:
queriendo, si podían, del mundo me sacar,
mas Tú, Señor, quisiste me valer y ayudar.

404 »Vencílos y matélos, Señor, con tu poder;
nunca fui contra Ti, según mi parecer,
me doy por satisfecho si te di algún placer;
bien creo que no habrás de dejarme perder.

405 »Dicen las escrituras que dejó Isaías,
que nunca a tus vasallos los abandonarías;
Señor, tu siervo soy con mis caballerías,
no me separaré de Ti en todos mis días.

406 »Mas ahora, Señor, tu ayuda es requerida:
Señor, sea por Ti Castilla defendida;
toda la tierra de África es sobre mí venida;
amparar no la puedo sin ser por Ti tenida.

407 »Por mucha fuerza y juicio que yo pueda tener,
de ningún modo yo la podré defender;
Señor, Tú dame esfuerzo, buen juicio y poder,
para que a Almanzor logre o matar o vencer.»

408 Estando en su vigilia, con Dios se razonando,
un sueño muy sabroso al conde le fue entrando,
de sus armas vestido así se fue acostando,
el cuerpo adormecido, así yace soñando.

Aparécesele San Pelayo.

409 Apenas el buen conde estaba adormecido,
cuando el monje Pelayo se le hizo aparecido:
de paños como el sol todo venía vestido,
nunca cosa más bella viera un hombre nacido.

410 Llamóle por su nombre al conde don Fernando;
dijo: —«¿Duermes? ¿O cómo estás así callando?
Despierta, ve adelante, que hoy aumenta tu bando;
vete para tu pueblo que ya te está esperando.

411 »Otórgate el Criador cuanto pedido le has:
en los pueblos paganos gran mortandad harás,
de tus buenas compañas muchas ahí perderás,
pero, con todo el daño, el campo vencerás.

412 »Aún te dice más el alto Criador:
tú eres su vasallo y él es tu Señor;
con los pueblos paganos lidias por su amor,
mándate que a lidiar vayas con Almanzor.

413 »Yo estaré allí contigo, pues Él me lo ha otorgado,
allí estará el apostol Santiago llamado;
Cristo nos enviará a ayudar su criado;
será con tal ayuda Almanzor abrumado,

414 »Otros muchos vendrán como en una visión
con blancas armaduras: ángeles de Dios son;
cada uno traerá la cruz en su pendón;
al vernos, perderán moros el corazón.

415 »Amigo, ya te he dicho lo que a mí me ordenaron;
me vuelvo para aquellos que acá me enviaron.»
Dos ángeles hermosos de la tierra lo alzaron,
haciendo alegría al cielo lo llevaron.

416 Despertó don Fernando con profundo pavor:
—«¿Qué puede ser aquesto? ¡Válgame el Criador!
El diablo me quiere meter en este error.
¡Cristo, yo tuyo soy; guárdame, Tú, Señor!»

Aparécesele San Millán.

417 Cuando estaba, en el sueño que soñara, pensando,
oyó una gran voz que le estaba llamando:
—«Levántate, y sigue tu vía, don Fernando;
Almanzor ya te espera con el su fuerte bando.

418 »No tardes, ve adelante; si no, perjuicio me haces;
porque tanto te tardas, en gran culpa me yaces;

no des a Almanzor tregua ni hagas con él paces;
debes todo tu pueblo dividir en tres aces.

419 »Tú entra con los menos, por el lado de oriente,
me verás en la lid entrar visiblemente;
manda entrar otra az por parte de occidente;
allí estará Santiago, el apóstol valiente.

420 »Debe entrar la tercera por parte de aquilón;
venceremos, no dudes, a este bravo león;
harás, si cumples esto, como hizo Sansón,
cuando con las sus manos lidió con el bestión.

421 »No quiero más decirte; levanta y ve tu vía.
¿Quieres saber quién trae esta mensajería?
Millán soy yo por nombre, Jesucristo me envía;
durará la batalla hasta el tercero día.»

422 Cuando hubo don Fernando estas cosas oído,
el barón don Millán a los cielos fue ido;
luego fue de la ermita el conde despedido,
y tornó a Piedrahita, de donde era partido.

Enojo de los castellanos.

423 Cuando llegó el conde a su buena compaña,
halló a sus vasallos todos con fuerte saña;
de él murmuraban tanto que era cosa extraña.

424 Como eran melancólicos todos por el despecho,
por chicos y por grandes, por todos fue maltrecho.

418 d. Véase nota a 315 b.
419 c. Véase nota a 315 b.
422 b. Véase nota a 53 a.

—«Haces —dijeron—, conde, muy mal todo tu hecho;
si en algún yerro caes, será muy gran derecho.

425 »Así como ladrón que suele ir a hurtar,
así solo y señero amas te apartar;
y cuando te buscamos nadie te puede hallar;
sólo por esto, habremos de algún daño pagar.

426 »Por soportarte tanto somos mucho peores;
pedímoste merced; no nos hagas traidores,
pues no lo fueron nunca nuestros antecesores:
nunca en el mundo hubo más leales ni mejores.»

El conde les promete auxilio celeste.

427 Cuando a toda su guisa le hubieron retraído,
díjoles don Fernando: «—¡Por Dios sea oído!
De cuanto que yo hice no soy arrepentido;
no me debéis tener por tan poco cumplido.

428 »Fui yo a la ermita para a mi amigo ver,
y que yo y fray Pelayo tuviéramos placer;
cuando allá fui llegado, de él quise saber:
dijéronme que estaba en ajeno poder.

429 »Supe, pues, cómo era mi amigo finado;
mostráronme el lugar donde está soterrado,
rogué a Jesucristo, por si él hizo pecado,
que por su grande juicio le sea perdonado.

430 »Al entrar por la puerta, hice allí mi oración,
según me la dio Dios en seso y corazón;
vino a mí el monje santo como en una visión:
Despierta —dijo—, *amigo, hora es y sazón.*

431 »Díjomelo en sueños, no lo quise creer,
desperté y no pude ninguna cosa ver,
pero oí una gran voz del cielo descender,
voz era de los santos, según mi parecer.

432 »Esta fue la razón que la voz me decía:
Conde Fernán González, levanta y ve tu vía,
todo el poder de África y del Andalucía
lo vencerás en campo de éste al tercer día.

433 »Díjome que hacía mal, porque tanto tardaba,
a aquel rey de los reyes por cuyo amor lidiaba;
que fuese y no tardase contra la grey pagana,
que por qué tener miedo, pues que Él me ayudaba.

434 »Otras cosas me dijo que me quiero callar
—me alargaría mucho en todo lo contar—,
mas vosotros lo habréis pronto de comprobar;
hasta que lo veáis me habré yo de callar.

435 »Como en aquella ermita fui bien aconsejado
del monje fray Pelayo, siervo de Dios amado,
cuando por su consejo Almanzor fue ganado,
fuíle a buscar ahora y le hallé soterrado.

436 »Hasta que sepáis todo lo que llegué a saber,
no me debéis aún por errado tener;
yo guardar os querría, con todo mi poder,
de que podáis, por culpa mía, en yerro caer.

437 »De Dios y de los hombres precisamos consejo:
si no los apremiamos, nos harán mal trebejo;
trae el rey Almanzor muy soberbio cortejo,
nunca en su vida pudo reunir mayor concejo.

Arenga del conde.

438 »Mil hay allí para uno, esto bien lo sabemos;
ya he dicho que es preciso que consejo tomemos:
aunque huir queramos hacer no lo podemos,
así como los peces enredados yacemos.

439 »Aragón y Navarra, como los pitavinos,
aunque en cuita nos vieren, no nos serán padrinos,
ni nos darán salida por ningunos caminos:
mal nos quieren de muerte todos nuestros vecinos.

440 »Si, ¡mal pecado!, fuéremos nosotros derrotados,
los nuestros enemigos serán de nos vengados,
y seremos cautivos, hambrientos y penados;
serán los nuestros hijos de moros antenados.

441 »Los hijos y las hijas que nos tanto queremos,
los veremos cautivos; valerlos no podremos;
donde nos manden ir, por fuerza allá iremos;
nuestros hijos e hijas nunca más los veremos.

442 »No existe ningún bien para el que está cautivo,
y aún dice muchas veces que no querría ser vivo;
dice: *Señor del mundo, ¿por qué me eres esquivo,*
que me haces vivir penado y perdido?

443 »Es muy ligera cosa la muerte de pasar,
muerte de cada día mala es de soportar,
sufrir tanta aflicción y ver tanto pesar,
ver que los enemigos lo suyo han de heredar.

444 »Esto mismo sucede con la grey renegada:

439 a. **Véase nota a 364 b.**

heredan nuestra tierra y la tienen forzada;
mas se ha de enderezar la rueda trastornada:
serán ellos vencidos, la fe de Cristo honrada.

445 »No queda la Fortuna siempre en el mismo estado:
uno ser siempre rico y otro siempre menguado;
estas dos cosas cambia la Fortuna de grado,
al pobre haciendo rico y al rico menguado.

446 »Quiere todas las cosas hacer así el Criador,
de dar e de quitar Él es el hacedor,
por entender que Él es sobre todos mejor,
quien suele ser vencido será el vencedor.

447 »A tal Señor como éste debemos suplicar
que por su gran mesura nos quiera ayudar;
está en sus manos todo: caer o levantar,
pues sin Él no podemos cosa alguna acabar.

448 »Amigos, lo que os digo entender bien debéis;
si fuéremos vencidos, ¿qué opinión seguiréis?
Moriréis como malos, la tierra perderéis:
si caéis esta vez ya no os levantaréis.

449 »De mí mismo os digo lo que pienso hacer:
ni preso ni cautivo no me dejaré ser;
aunque ellos en vida me quisieran prender,
antes me mataré que ser en su poder.

450 »Todo aquel de vosotros que del campo saliere,
o por miedo de muerte en prisión se les diere,
quede por alevoso, si tal hecho hiciere,
con Judas, en infierno, yazca cuando muriere.»

451 Cuando todo esto oyó el su pueblo temido,
todos por una boca hablaron muy seguido:
—«Señor, lo que tú dices lo hemos concedido,
quien de nosotros huya sea con Judas perdido.»

452 Dichas por el buen conde todas estas razones
—antes tenían todos duros los corazones—
fueron muy confortados caballeros y peones;
ordenó cómo hiciesen esos grandes varones.

Las aces cristianas. Gustio González en la delantera.

453 Mandó que fuesen prestos la siguiente mañana,
fuesen puestas las aces en medio de la plana,
todos fuesen armados al toque de campana,
darían lid campal a la gente pagana.

454 A don Gustio González, el que de Salas era,
a él y a sus hijos dióles la delantera;
con ellos don Velasco que era de esa ribera,
que nunca dejaría por miedo la carrera,

455 Entró Gonzalo Díaz en esta misma az,
en los consejos era bueno de toda paz,
en las acciones era crudo como el agraz;
quienquiera lo buscase le hallaría de faz.

456 Dos sobrinos del conde, valientes y ligeros
—los había hecho el conde entonces caballeros—,
debieran ser contados ambos en los primeros,
fueron éstos llamados los lobos carniceros.

453 b. Véase nota a 315 b.
455 a. Véase nota a 315 b.

457 Los que Gustio González debía acaudillar,
doscientos caballeros eran de buen prestar;
a éstos mandó el conde por una parte entrar:
no sería posible los tales mejorar.

458 Dióles seis mil peones para la delantera,
hombres de la Montaña, gente fuerte y ligera:
si pertrechados fuesen como menester era,
por el triple de moros no dejarían carrera.

459 Dejemos esta az toda bien concertada,
no podría el caudillo mejorarse por nada,
no sería por nadie apenas quebrantada;
entre tanto ya era la otra az preparada.

460 Se les dio por caudillo don Lope el Vizcaíno,
bien rico de manzanas, pobre de pan y vino;
en esa az fue contado hijo de don Laíno,
y otro de la Montaña llamado don Martino.

Segunda az: Lope el Vizcaíno.

461 Había de Bureba y también treviñanos,
caballeros ligeros, de corazón lozanos,
de Castilla la Vieja hubo allí castellanos
que muchos buenos hechos cumplieron por sus manos.

462 De Castrojeriz eran allí buenas compañas,
venían junto a ellos otros de las montañas,
había allí asturianos, gentes bien preparadas,
eran buenos de armas, bien cumplidos de mañas.

459 a. Véase nota a 315 b.
459 d. Véase nota a 315 b.
460 c. Véase nota a 315 b.

463 Todos los caballeros de aquella az mediana
—éstos eran doscientos de la flor castellana—
fueron al otro día en campo de mañana;
fue aquélla para moros una negra semana.

464 Dióles seis mil peones con que los combatiesen,
peones con peones en uno los partiesen,
que cuando los peones camino les abriesen
entrasen caballeros por do mejor pudiesen.

Tercera az: el conde.

465 El conde don Fernando, de los hechos granados,
hizo a veinte escuderos en ese día armados;
éstos con el buen conde en la az fueron entrados;
cincuenta caballeros, no más, fueron contados:

466 Rodrigo y Nuño Cavia, del distrito de Lara;
venían los serranos, gentes que él poblara
en una sierra fuerte que a los moros ganara;
venían los Velascos, que en ese día armara.

467 Iban tres mil peones, todos de buena gente,
que no caerían en falta por miedo de la muerte;
aunque fuesen buscados, desde el lejano oriente,
no se hallarían mejores hasta el occidente.

468 Advirtióles a todos cómo se condujesen:
si en el día primero vencer no los pudiesen,
debían retirarse cuando su cuerno oyesen,
y a la enseña del conde todos se recogiesen.

463 a. Véase nota a 315 b.
465 c. Véase nota a 315 b.

469 Cuando tuvo el buen conde su cosa concertada,
sus aces bien dispuestas y su gente ordenada,
sabiendo cada uno por dónde era su entrada,
tornaron a sus tiendas, para hacer su posada.

La noche. Prodigio de la sierpe ardiente.

470 Cenaron y se holgaron esa gente cruzada;
todos a Dios rogaron, con voluntad pagada,
que allí les ayudase la su virtud sagrada
de vergüenza a librarles y a haber victoria honrada.

471 Vieron aquella noche una muy fiera cosa:
venía por el aire una sierpe rabiosa,
dando muy fuertes gritos la fantasma astrosa
toda venía sangrienta, bermeja como rosa.

472 Ella tenía el aspecto de que herida venía,
parecía que el cielo, con sus gritos, partía;
alumbraba las huestes el fuego que vertía:
todos tuvieron miedo que a quemarlos venía.

473 No hubo nadie entre ellos de alma tan esforzado
que no tuviera miedo y no fuese espantado;
cayeron muchos hombres en tierra del espanto,
tuvo muy gran temor todo el pueblo cruzado.

474 Despertaron al conde que estaba ya dormido;
antes de que él viniese, el culebro fue ido;
halló a todo su pueblo medroso y abatido;
demandó del culebro cómo había venido.

469 b. Véase nota a 315 b.

475 Dijéronselo todo: de qué modo viniera,
como persona herida que grandes gritos diera;
venía tinta en sangre aquella bestia fiera:
fue maravilla que ella la tierra no encendiera.

476 Cuando se lo contaron así como lo vieron,
comprendió bien el conde que gran miedo tuvieron,
que aquella tal figura los diablos la hicieron,
a los pueblos cruzados inquietar los quisieron.

477 A los moros creían que vendría a ayudar,
pensando a los cristianos sin duda así espantar;
quisieran en la hueste algún fuego echar
para que los cruzados se hubieran de tornar.

478 Mandó a sus varones el buen conde llamar;
cuando fueron juntados mandóles escuchar,
diría qué quería la serpiente indicar;
sobre los estrelleros comenzó luego a hablar.

Explicación del conde.

479 —«Los moros, bien sabéis, por estrellas se guían;
no se guían por Dios, sino que de ellas fían;
como en nuevo Criador en ellas se confían,
y muchas maravillas ver por ellas decían.

480 »Hay de ellos quienes saben muchos encantamientos,
hacen muy malos gestos con sus experimentos
de revolver las nubes y revolver los vientos:
muéstrales el diablo estos entendimientos.

481 »Llaman a los diablos con sus conjuramientos,
alléganse con ellos y hacen sus conventos,
dicen de los pasados los acontecimientos,
todos hacen concejo, los falsos carbonientos.

482 »Algún astroso moro que sabe encantar
hizo a aquel diablo la sierpe figurar,
creyendo que con ello os haría espantar,
y que este tal engaño nos podría turbar.

483 «Mas como sois sesudos, muy bien podéis saber
que carece de fuerza para mal nos hacer,
pues le quitó don Cristo el su fuerte poder;
ya veis bien que está loco quien le quiere creer.

484 »Porque de todo el mundo en Uno está el poder,
a quien solo debemos todos obedecer,
pues es Él el que puede quitar y conceder:
a Señor tal como éste sólo hemos de temer.

485 »Quien a este Señor deja y en la bestia confía,
creo que está incurriendo de Dios en muy gran ira,
anda hacia el perdimiento la su alma mezquina:
a cuantos así viven el diablo los guía.

486 »Tornemos en lo otro en que ahora estamos;
bien hemos trabajado, conviene que durmamos;
con ellos en el campo, de mañana, seamos
todos en su lugar así como ordenamos.»

487 Fueron a sus posadas, se echaron a dormir; *El amanecer.*
comenzaron los gallos las alas a batir,
levantáronse todos, misa fueron a oir,
a confesarse a Dios, pecados descubrir.

488 Todos, grandes y chicos, su oración cumplieron,
del mal que habían hecho todos se arrepintieron,
la hostia consagrada todos la recibieron,
todos de corazón a Dios merced pidieron.

489 Era, con todo esto, el día ya llegado;
entraron en las armas todo el pueblo cruzado,
las aces fueron puestas como les fue ordenado,
bien sabía cada uno su lugar señalado.

Comienza la batalla.

490 Fueron todas las gentes al punto guarnecidas;
hacia ellos avanzaron todos por sus partidas,
dispusieron las aces, se cambiaron heridas,
hubo de cada parte muchas gentes caídas.

491 El conde don Fernando, aquel leal caudillo,
parecía entre todos un hermoso castillo:
había, en la az primera, abierto gran portillo,
llevaba en el escudo señales de cuchillo.

492 Rompía todas las aces que enfrente de él estaban,
a la parte a que él iba todos se le apartaban;
los golpes que él hacía bien de lejos sonaban.

493 Andaba por las aces como león hambriento:
de vencer o morir tenía pensamiento;
dejaba por donde iba todo el campo sangriento
y daba muchas ánimas al bestión mascariento.

494 Un rey de los de África —era de fuerza grande,
entre todos los otros semejaba gigante—
buscaba el conde, y éste de modo semejante;
cuando vio al conde, quiso ponérsele delante.

489 c. **Véase nota a 315 b.**
490 c. **Véase nota a 315 b.**
491 c. **Véase nota a 315 b.**
492 a. **Véase nota a 315 b.**
493 a. **Véase nota a 315 b.**

495 Cuando el conde le vió tan airado venir,
aguijó su caballo y fuélo a recibir;
abajaron las lanzas y fuéronse a embestir;
debieran tales golpes una torre partir.

496 Ambos, el uno al otro, fueron muy embargados,
fueron muy malheridos y estaban conturbados;
hablarse no podían: tan mal eran golpeados,
eran de fuertes golpes ambos a dos llagados.

497 El conde don Fernando, aunque era malherido,
antes que el rey, volvió en todo su sentido;
por el conde fue el rey otra vez malherido:
fue luego, del caballo, a tierra abatido.

498 Los vasallos del moro, cuando esto visto hubieron,
cercaron al buen conde, gran apremio le dieron;
entonces castellanos en balde no estuvieron:
dando grandes heridas a su conde acudieron.

499 El conde castellano con sus gentes honradas
fueron esta ocasión fuertemente esforzadas;
el caballo del conde traía grandes lanzadas,
tenía hasta los pies las entrañas colgadas.

500 Tuvo su buen caballo del conde que morir:
en peor ocasión no pudiera ocurrir,
pues ni tornar podía ni podía huir,
las cuitas que sufría nadie podría decir.

El conde en peligro.

501 Estaba apeado, en torno su mesnada,
escudo contra pechos, en mano su espada:
—«¡Válgame —dijo—, Cristo, la tu virtud sagrada!
¡Que no quede hoy Castilla por Ti desamparada!»

502 Los moros eran muchos, teníanlo cercado;
a pesar de que estaba el buen conde apeado,
hería a todas partes como hombre esforzado:
por sus buenos vasallos fue al instante ayudado.

503 Diéronle buen caballo como le convenía;
daba gracias a Dios, hacía gran alegría:
—«Señor, agradecerte tal merced no podría,
pues tan bien acudiste a la gran cuita mía.»

504 Dejaremos nosotros al conde con sus lides,
no encontraríais otro mejor en otras leyes;
quebrantó mucha enseña y mató muchos reyes,
haciendo lo que el lobo hace contra las greyes.

Gustio González, Diego Lainez.

505 Fue don Gustio González quien la otra az guiaba;
corría mucha sangre por donde él aguijaba,
como grandes arroyos de fuente que manaba,
hacía gran mortandad en esa gente brava.

506 Los moros, entre tanto, no en balde se movían:
en los hombres de a pie gran mortandad hacían,
sabed que de ambas partes muchos hombres caían;
a los golpes que daban las sierras reteñían.

507 Don Diego Laínez, con ambos sus hermanos,
hería de la otra parte con otros castellanos,
hacía gran mortandad en los pueblos paganos:
todos caían revueltos los moros y cristianos.

505 a. **Véase nota a 315 b.**

508 Estuvo equilibrada la lucha todo el día,
sobre ganar el campo grande era la porfía;
se daba por contento el que mejor hería:
sobre todos el conde llevaba mejoría.

509 Heríalos don Fernando de toda voluntad,
en los pueblos paganos hacía gran mortandad.
—«¡Váleme —dijo— Cristo, Padre de piedad!
¡Sea hoy ensalzada por Ti la Cristiandad!»

510 Tenía llenos de polvo la boca y los dientes,
apenas podía hablar por confortar sus gentes,
diciendo: —«Sed, hoy, buenos vasallos y parientes;
en tal día debéis los buenos parar mientes.

511 »Atacad reciamente, mis leales amigos,
pues tenéis muchos daños de Almanzor recibidos,
para vengarnos de él tened vuestros sentidos,
acordaos que por eso somos aquí venidos.»

Descanso en la noche.

512 El sol era ya puesto, quería anochecer;
ni moros ni cristianos se podían vencer;
mandó luego el conde el su cuerno tañer,
y todos se debieron a su enseña acoger.

513 Los pueblos castellanos, esas gentes cruzadas,
sacaron a los moros fuera de sus posadas:
el conde don Fernando con todas sus mesnadas,
fueron aquella noche allí bien albergadas.

514 El conde y sus gentes las posadas tomaron:
tuvieron tal albergue como a Dios demandaron,
cuanto necesitaron todo allí lo encontraron;
toda la noche armados de sus armas velaron.

Segundo día de la batalla.

515 La mañana siguiente, los pueblos descreídos,
surgieron sobre el campo con sus armas vestidos,
dando muy grandes voces y grandes alaridos:
los montes y los valles parecían movidos.

516 El conde don Fernando con su gente lozana
todos oyeron misa la siguiente mañana;
fueron todos en campo a primera campana,
dispusieron las aces en medio de la plana.

517 Comenzaron el pleito donde lo habían dejado,
invocando a Santiago, el apóstol honrado;
las aces fueron vueltas, el torneo empezado:
bien era a castellanos, aquel oficio, usado.

518 Orbita, su alférez, que llevaba la enseña,
no sufría más golpes que si fuese una peña:
nunca alzada la tuvo mejor Terrín de Ardeña;
Dios perdone a su alma, que él yace en Cardeña.

519 El conde don Fernando, corazón sin flaqueza,
señor de enseñamiento, cimiento de nobleza,
hería en los paganos sin ninguna pereza;
dijo allí: —«Caballeros, ¡afán hay en pobreza!»

520 El conde don Fernando, más bravo que serpiente,
era lleno de fuerza con el día caliente,
mataba y embestía en la mala simiente,
hacía gran mortandad en la grey descreyente.

516 d. Véase nota a 315 b.
517 c. Véase nota a 315 b.

521 Dejemos ahora el conde en gran revuelta estar
—nunca hombre alguno, en armas, le pudo aventajar—,
digamos de los otros, no podían vagar:
todo les iba en ello, caer o levantar.

522 Los unos y los otros recio se combatieron,
sabed que de ambas partes muchos hombres murieron;
la noche fue venida, de allí se recogieron,
sin que acabaran nada de aquello a que vinieron.

523 Tornaron a las tiendas hambrientos y dañados;
llevaron fuerte día, estaban muy cansados,
había muchos hombres heridos y matados;
cenaron y durmieron toda la noche armados.

524 El conde don Fernando, el de vida granada,
mandó a prima noche llamar a su mesnada;
en poco tiempo fue toda con él juntada,
pasaron por oírle esa gente penada.

525 —«Amigos —dijo el conde—, por Dios, que os es-
[forcéis;
pese a las malas penas, que no os desmayéis;
mañana, antes de nona, gran socorro tendréis
de modo que vosotros el campo venceréis.

El conde promete el auxilio de Santiago.

526-533 [»Si queréis que venzamos, hemos de ir mañana al campo antes de salir el sol, atacaremos reciamente y de todo corazón, sin dejar un momento a los moros. Así, por fuerza, nos abandonarán el campo y, vencidos o muertos, no escaparán de nosotros, que iremos a su alcance y tomaremos en ellos venganza del mal que nos han hecho. Seguro estoy de que no seremos vencidos, pues antes nos dejaríamos morir, y de que tampoco nos dejaremos apresar vivos; bien sé que haremos lo mejor.» Cuando les hubo dicho esto el conde, se retiraron a sus posadas, y durmieron y descansaron hasta el día siguiente. Se levantaron muy temprano y se armaron. Hicieron lo mismo los moros y salieron al campo. Los cristianos hicieron la señal de la cruz ante sus caras, y rogaron a Dios de todo corazón que les ayudase contra aquellos enemigos. Su oración acabada, abajaron las lanzas y fueron a embestir contra los moros, gritando «¡Santiago!». Y aunque estuviesen muy cansados de la batalla de los dos días anteriores, comenzaron esta nueva más esforzadamente que ninguna de las otras. Y el conde Fernán González, como muy esforzado caballero en armas, hacía tan gran mortandad en los moros que ninguno osaba ponérsele delante.]

Tercer día de batalla.

534 Todos de corazón eran para lidiar,
ni lanzas ni espadas no se daban vagar;
reteñir en los yelmos, las espadas quebrar,
herir en los capillos, las lorigas cortar.

535 Los chicos y los grandes todos mientes paraban,
como a ángel de Dios todos a él guardaban;
cuando oían ¡Castilla! todos se esforzaban,
todos con su palabra gran esfuerzo tomaban.

Muerte de Gustio González.

536 Don Gustio González era leal caudillo,
había en los primeros abierto gran portillo;
un rey de los de África, valiente mancebillo,
una espadada dióle por medio del capillo.

537 El capillo, el almófar y la cofia de armar
húbolos muy ligera la espada de cortar,
y hubo hasta los ojos la espada de pasar;
por este golpe hubo don Gustio de finar.

538 Allí donde él murió no yacía señero;
un sobrino del conde, que era su compañero,
matóse con un moro que era buen caballero,
otro moro no había más extraño bracero.

539 Otros muchos cristianos por esto allí murieron,
ellos en la batalla en balde no estuvieron,
en los pueblos paganos gran mortandad hicieron:
hablarán de ello siempre todos cuantos lo oyeron.

540 Al conde don Fernando llegaron los mandados
diciendo cómo eran los mejores finados;
los cristianos estaban tristes y acongojados;
que, si a ellos no acudía, eran desbaratados.

541 Cuando esto oyó el conde fue por ello acuitado,
aguijó su caballo, acudió acelerado;
halló de mala guisa revuelto aquel mercado:
presos fueran, o muertos, si no fuera llegado.

542 Atacó luego el conde a los pueblos paganos;
de los que él alcanzaba pocos marchaban sanos;
dice: —«¡Yo soy el conde! ¡esforzad, castellanos!
¡heridlos reciamente, amigos y hermanos!»

543 Los cristianos dañados cuando aquesto vieron,
aunque iban malandantes, todo el miedo perdieron,

todos con su señor gran esfuerzo cogieron:
en las aces paganas reciamente embistieron.

544 El conde castellano, de corazón cumplido,
dice: —«¡Yo soy el conde! ¡esforzad, castellanos!
No sé dónde halle pan quien sea hoy retraído,
mucho más le valdría no haber nunca nacido.»

545 No sé quién, en el mundo, que al conde oyese,
que en ninguna manera tener miedo pudiese:
nunca podría ser malo quien con él estuviese,
mejor habría de ser el que con él viviese.

546 Quien a Gustio González poco antes matara,
aunque por su deseo del conde se desviara
—pues de haberlo podido mejor él lo pasara—,
al conde de Castilla vino a quedar de cara.

547 El gran rey africano había oído decir
que nadie le podía al conde resistir,
por ello, si pudiera, quisiéralo huir:
no le dio tiempo el conde y fuélo a embestir.

548 Hirióle luego el conde y partióle el escudo,
rompió sus guarniciones con hierro muy agudo;
de muerte el rey de África amparar no se pudo,
fue del caballo abajo a tierra en golpe rudo.

Angustia del conde. Oración.

549 Fueron los africanos de esto mucho pesantes,
pues eran del buen conde todos muy malandantes;
atacaron al conde más de cien cabalgantes;
se encarnizó el torneo más firmemente que antes.

543 d. Véase nota a 315 d.

550 Mataron bien cuarenta de parte de Castilla,
iban muchos caballos vacíos con su silla;
el conde, por sus gentes, tenía gran mancilla,
temióse que sin duda perdida era Castilla.

551 Tenía fuerte cuita el conde don Fernando,
iba, por si ocurría, su muerte preparando;
alzó arriba los ojos al Criador rogando;
como si con Él fuera, así le está llamando:

552 —«Pues no tengo la dicha de esta lucha ganar,
aunque escapar pudiere, yo no quiero escapar,
ni he de ver nunca yo más cuita ni pesar:
me pondré en un lugar donde me han de matar.

553 »Castilla quebrantada quedará sin señor;
me iré con esta rabia, mezquino pecador,
pues será ella cautiva del moro Almanzor:
por no ver ese día la muerte es lo mejor.

554 »Señor, ¿por qué nos tienes a todos tanta saña?;
por los nuestros pecados, no destruyas a España;
su pérdida sería, por culpa nuestra, extraña,
pues de buenos cristianos no había otra tamaña.

555 »Padre, Señor del mundo y verdadero Cristo,
de lo que me dijeron, nada me mantuviste:
que me socorrerías a mí lo prometiste;
si yo no te he faltado, ¿por qué Tú no cumpliste?

556 »Señor, pues es el conde de Ti desamparado,
que por alguna culpa eres de él despagado,
recibe Tú, Señor, en guarda este condado:
si no, será muy pronto por el suelo estragado.

557 »Pero no moriré así desamparado:
antes tendrán de mí los moros mal mercado;
tales cosas hará antes este cuerpo penado,
que, mientras dure el mundo, siempre será contado:

558 »Si me quisieres Tú tanta gracia otorgar
que me pudiese yo a Almanzor allegar,
no creo que pudiera vivo de mí escapar,
yo mismo cuidaría de mi muerte vengar.

559 »Todos los mis vasallos que aquí son finados
por su señor serían este día vengados,
todos en paraíso conmigo ajuntados:
haría grande honra el conde a sus criados.»

Aparición de Santiago.

560 Querellándose a Dios el conde don Fernando,
los hinojos hincados, al Criador rogando,
oyó una gran voz que le estaba llamando:
—«¡Fernando de Castilla, hoy aumenta tu bando!»

561 Alzó arriba los ojos por ver quién le llamaba,
y vio que el santo apóstol encima de él estaba,
con él de caballeros gran compaña llevaba,
todos armas cruzadas, según le semejaba.

562 Fueron contra los moros, las aces preparadas,
nunca vio ningún hombre gentes tan esforzadas;
el moro Almanzor con todas sus mesnadas
fueron luego con ellos fuertemente embargadas.

563 Viendo en la misma enseña tantos pueblos armados,

562 a. **Véase nota a 315 b.**

tuvieron muy gran miedo, fueron mal espantados;
de cuál parte venían eran maravillados;
lo que más les pesaba: que eran todos cruzados.

564 Dijo el rey Almanzor: —«Esto no puede ser;
¿de dónde creció al conde un tan fuerte poder?
Pensaba yo hoy sin duda matarle o le prender,
y es él quien con sus gentes nos ha de acometer.»

Victoria y persecución.

565 Los cristianos mezquinos que estaban cansados,
de no perder sus ánimas eran desconfiados,
fueron con el apóstol muy fuerte confortados;
nunca en una hora fueron tan fuerte esforzados.

566 Se acrecentó su esfuerzo, todo el miedo perdieron,
en los pueblos paganos gran mortandad hicieron;
las huestes africanas sufrir no lo pudieron,
tornaron las espaldas, del campo se movieron.

567 Cuando vio don Fernando que la espalda tornaban,
que, con miedo de muerte, el campo les dejaban,
el conde con sus gentes fuerte los hostigaban,
los azotes en mano y espuela en pie tomaban.

568 Hasta Almenar a moros siguieron y dañaron;
muchos fueron los presos, muchos los que mataron:
un día con dos noches en su alcance marcharon,
después, al tercer día, a Hacinas tornaron.

Entierro. El conde promete enterrarse en Arlanza.

569 Buscaron por los muertos, que en montones yacían
—como estaban sangrientos no los reconocían—,
los cristianos finados, que los soterrarían,
cada uno a sus lugares, que se los llevarían.

570 El conde don Fernando —sus bondades sepáis—,
—«Amigos —dijo—, creo inútil que lo hagáis;
con cargaros de muertos provecho no ganáis,
pues a vuestros vecinos grandes duelos lleváis.

571 »Los muertos a los vivos, ¿por qué han de emba-
[razar?;
por duelo no podremos a nadie hacer tornar;
aquí hay una ermita, que es un santo lugar;
tendría yo por bien de allí los soterrar.

572 »Nunca podrían yacer en lugar más honrado;
yo mismo he mi cuerpo allí encomendado
y allí mando me lleven cuando fuere finado;
allí yo quiero hacer un lugar muy honrado.»

573 Lo que les dijo el conde, todos lo otorgaron:
los cristianos finados para allí los llevaron
y muy honradamente allí los soterraron;
cuando acabó el entierro su camino tomaron.

V

EL CABALLO Y EL AZOR

Cortes en León.

574 Envió Sancho Ordóñez al buen conde un mandado:
que quería hacer cortes, que fuese acelerado
y que estaban reunidos todos los del reinado:
por él solo tardaba, que no era presentado.

575 Tuvo que ir a las cortes, pero con gran pesar,
pues era dura cosa la mano al rey besar.
—«Señor Dios de los cielos, quiérasme ayudar
que yo pueda a Castilla de este apremio sacar.»

576 El rey y sus barones muy bien lo recibieron,
todos con el buen conde muy gran gozo tuvieron,
hasta la su posada todos con él vinieron
y al entrar por la puerta todos se despidieron.

577 A los chicos y grandes de toda la ciudad
la venida del conde placía de voluntad;

574 a. *Sancho Ordóñez:* Sancho I el Craso de León, hermano de Ordoño III y sucesor de éste; ambos eran hijos de Ramiro II. Por tanto, el patronímico Ordóñez es un error del poeta o de algún copista del poema. Lo exacto hubiera sido Sancho Ramírez.

576 a. Véase nota a 53 a.

pero a la reina sola pesaba por verdad,
pues tenía con él muy grande enemistad.

578 Mucho varón había en las cortes perplejo;
en cuanto vino el conde duraron poquillejo,
pues dióles el buen conde mucho de buen consejo,
los unos en secreto, los otros en concejo.

Venta del azor y el caballo.

579 Llevaba don Fernando un mudado azor
—no había en Castilla otro tal ni mejor—
y además un caballo que fuera de Almanzor;
el rey, de ser su dueño, tenía gran sabor.

580 El rey, por el deseo de poderlos llevar,
luego dijo al conde que los quería comprar.
«—Yo no los vendería, mas mándalos tomar;
vendéroslos no quiero, mas os los quiero dar.»

581 El rey contestó al conde que no los tomaría,
sino, azor y caballo, que se los compraría;
que de aquella moneda mil marcos le daría
por azor y caballo si dárselos quería.

582 Aviniéronse ambos, hicieron su mercado,
fijando para el pago un día señalado;
si no se hubiese el precio aquel día pagado,
sería cada día al gallarín doblado.

583 Cartas por abc partidas de ello hicieron,
todas las condiciones allí las escribieron,

577 c. *Reina enemiga.* Teresa, hermana de Sancho Abarca, el rey de Navarra muerto por Fernán González en la Era Degollada.

al final de la carta los testigos pusieron,
cuantos a este negocio presentes estuvieron.

584 El rey había asaz buen caballo comprado;
mas salióle, en tres años, muy caro su mercado:
con el haber de Francia nunca sería pagado,
por ello perdió el rey Castilla y su condado.

585 Fueron todas las cortes deshechas y partidas,
las gentes castellanas fueron todas venidas.

VI

PRISIÓN EN CASTROVIEJO: LIBERTAD POR DOÑA SANCHA

Engaño de la reina de León.

586 Antes que él partiese, una dama lozana,
princesa de León, del rey Sancho hermana,
se prometió al buen conde y dióle fianza vana;
hizo como el carnero que fue a buscar la lana.

587 Pues enseñó el diablo el engaño aína:
prometió el casamiento al conde la reína,
para acabar la guerra le daría su sobrina,
sería el daño grande sin esta medicina.

588 Creyó el buen conde, así, que sería bien casado,
y concedió a la reina que lo haría de buen grado.
Luego envió la reina a Navarra un mandado,
una carta compuesta con un falso dictado.

589 Estas son las razones que la carta decía:
«De mí, doña Teresa, a ti, el rey García:
perdí al rey tu padre, a quien yo bien quería,
si yo y no tú rey fuese ya vengado lo habría.

590 »Ahora ocasión tienes de vengar a mi hermano,
tomando buen derecho de aquel conde lozano;

con este tal engaño lo cogerás en mano;
no le dejes con vida al fuerte castellano.»

591 Cuando oyeron las gentes nuevas del casamiento,
todos pensaban que era un buen ajuntamiento,
que de la paz sería camino y cimiento:
pero urdió otras redes el diablo ceniciento.

592 Ambos fijaron dónde a vistas acudiesen:
tuvieron por bien ambos que en Cirueña fuesen,
de cada parte cinco caballeros viniesen
para hablar y acordar lo que por bien tuviesen.

Vistas en Cirueña.

593 Tomó Fernán González cinco de sus barones,
todos de buen derecho y grandes infanzones,
muy grandes de linaje y esforzados varones.

594 Fueron hacia Cirueña así como mandaron;
al conde de Castilla sólo cinco escoltaron;
el rey y los navarros el pacto quebrantaron,
pues en lugar de cinco más de treinta llevaron.

595 Cuando vio don Fernando al rey venir guarnido,
entendió que le había el acuerdo incumplido:
—«¡Santa María, váleme, que me han confundido!
creyendo en las palabras, yo mismo me he vendido.»

596 El conde dio gran voz, tal como de tronido:
—«Debía ser ahora el mundo destruído
con este mal engaño que el rey ha cometido;
en lo que dijo el monje ahora me he caído.»

593 a. Véase nota a 53 a.

597 Culpándose a sí mismo de la su malandanza,
no pudiendo tomar ni escudo ni lanza,
huyeron a una ermita, allí fue su amparanza.

598-599 De mañana hasta noche, allí fue su morada.

600 Hizo su escudero como hombre leal:
vio una ventana en medio del hastial,
vino hasta la ermita, metióse en el portal,
echóles sus espadas para evitar su mal.

601 Aquestos escuderos que con el conde fueron,
cuando a su señor socorrer no pudieron,
todos a sus caballos de prisa se acogieron,
luego con la noticia a Castilla vinieron.

Prisión del conde.

602 Fue por el rey García la iglesia bien sitiada,
no la quiso dejar aunque era sagrada;
de lo que quiso, el rey no pudo lograr nada,
pues tenía el buen conde la puerta bien cerrada.

603 El sol era ya bajo y se quería tornar,
mandó el rey García al conde preguntar
si se quería en prisión, bajo homenaje, dar,
pues por esto podría de la muerte escapar.

604 A salva fe jurando, se entregó en prisión;
pesó mucho a Dios hecho tan sin razón:
oyeron voz en grito como la de un pavón,
se partió el altar de arriba hasta el hondón.

605 Así está hoy en día esta iglesia partida,
porque tal cosa fue en ella sucedida;
bien creo que durara hasta la fin cumplida,
no fue aquello una cosa que sea escondida.

606 Fue luego don Fernando en cadenas metido;
del gran pesar que tuvo cayó amortecido;
al cabo de algún tiempo tornó en su sentido:
—«¿Por que, Señor del mundo, Tú no me has sostenido?

607 »Señor Dios, si quisieses que fuese afortunado,
me habrían los navarros hallado bien armado:
esto te lo tendría como merced y agrado;
pero así yo me creo por Ti desamparado.

608 »Si estuvieses en tierra, serías de mi culpado;
nunca obré para ser de Ti desamparado;
moriré de mal modo como hombre malhadado:
si yo te hice pesar, bien debes ser vengado.»

609 Dentro de Castro Viejo al buen conde metieron;
por tenerle gran saña, mala prisión le dieron;
como hombres sin mesura, mesura no le hicieron:
dejarle sus vasallos al conde no quisieron.

610 Dijo al rey García el conde esta razón:
—«No metas a ninguno de estos cinco en prisión;
por mí solo tendrás cuantos en Burgos son,
ningún daño les hagas que ellos sin culpa son.»

611 Soltólos don García, a Castilla vinieron;
cuando los castellanos la noticia supieron,
nunca tan mal mensaje en su vida tuvieron:
por poco, de pesar, de su seso salieron.

Duelo de los castellanos.

612 Hicieron muy gran duelo entonces en Castilla,
mucho vestido negro, rota mucha capilla,
rascadas muchas frentes, rota mucha mejilla,
tenía en su corazón cada uno gran mancilla.

613 Lloraban y decían: —«¡Estamos sin ventura!»
Decían del Criador mucha fuerte amargura:
—«No quiere que salgamos de apremio ni tristura,
sino que seamos siervos toda nuestra natura.

614 »Somos los castellanos contra Dios en gran saña,
ya que nos quiere dar esta cuita tamaña;
caímos en la ira de todos los de España;
tornada es Castilla una pobre cabaña.

615 »A otro no sabemos nuestra pena decir
sino al Criador, que nos debe oir;
con el conde pensábamos de esta cuita salir,
en la que antes de ahora hubimos de venir.»

616 Dejemos castellanos con su fuerte pesar,
pues luego nos tendremos que en ellos tornar;
se reunieron en junta para se aconsejar;
dejémosles juntados, bien nos debe membrar.

El lombardo peregrino.

617 Tornemos en el conde donde le hemos dejado:
era en Castro Viejo en la cárcel echado,
de gentes de Navarra era bien vigilado,
nunca jamás fue hombre en prisión más cuitado.

618 La gente, en estas tierras, había ya oído
que otro mejor en armas nunca fuera nacido;
se tenía por mejor quien le había conocido;
tenía deseo de verlo quien no le había visto.

619 A un conde muy honrado, que era de Lombardía,
le dio en el corazón de ir en romería;
tomó de sus vasallos muy gran caballería,
y para ir a Santiago se encaminó en su vía.

620 Aquel conde lombardo, yendo por su carrera,
preguntó sobre el conde en cuáles tierras era.
Dijéronselo luego —toda cosa certera—
cómo le habían preso y sobre cuál manera.

621 Preguntó él por cierto todo el mal engaño,
cómo habían recibido castellanos gran daño,
le llevaron a vistas a fe y sin engaño,
en ellas le prendieron bien hacía ya un año.

622 Preguntó si podría de algún modo lo ver,
pues tenía deseo de al conde conocer,
vería si le podía útil en algo ser,
pues tal hombre no era para en cárcel tener.

623 Fuese hacia Castro Viejo, demandó los porteros,
prometióles pagar mucho de sus dineros
si le dejaban verlo con sus dos caballeros.

624 Leváronle al castillo, las puertas le abrieron;
los condes, uno a otro, muy bien se recibieron,
entrambos en su habla mucho rato estuvieron;
la razón acabada luego se despidieron.

625 Se separaron ambos con los ojos llorando;
quedó en su prisión el conde don Fernando,
viviendo en gran pesar, muchas cuitas pasando,
a Dios que le librase todavía rogando.

El lombardo exhorta a doña Sancha.

626 Aquel conde lombardo, cuando fue despedido,
al conde castellano no le echó en olvido:
preguntó por la infanta, causa de lo ocurrido,
cómo el conde tenía que ser de ella marido.

627 Mostráronsela luego la hermosa doncella,
maravillóse mucho de ver cosa tan bella;
habló en seguida el conde en secreto con ella,
díjole que tenía contra ella gran querella.

628 —«Señora —dijo el conde—, tienes poca ventura,
no la hay más malhadada en toda tu natura;
tienen los castellanos rencor de ti y tristura,
pues les vino por ti este mal sin mesura.

629 »Señora sin piedad y sin buen conocer,
de hacer el bien o el mal tú tienes el poder;
si no quieres al conde de muerte defender,
Castilla, por tu culpa, se habrá de perder.

630 »Haces muy gran ayuda a los pueblos paganos,
pues éste les quitaba a todos pies y manos;
quitas muy gran esfuerzo a todos los cristianos,
por ello andan los moros alegres y lozanos.

631 »Mucho, en tu buena fama, eres menoscabada,
serás por este hecho de muchos denostada:
cuando fuere esta cosa por el mundo sonada,
será toda la culpa luego a ti echada.

632 »Si tú con este conde pudieses ser casada,
te tendrían las damas por bienaventurada,
de todos los de España serías muy honrada:
nunca señora hiciera tan buena cabalgada.

633 »Si tienes buen sentido, esto es lo mejor,
si tú nunca tuviste de caballero amor;
más debes amar a éste que no a un emperador:
no hay en el mundo nadie en sus armas mejor.»

Doña Sancha envía mensaje al prisionero.

634 Despidióse el conde, continuó su vía,
se dirigió a Santiago, cumplió su romería.
Envió luego la infanta esta mensajería
con una de sus dueñas que ella mucho quería.

635 Volvió la mensajera pronto con el recado
de la cuita del conde, que estaba en gran cuidado;
vino con la respuesta, no hubo mucho tardado,
diciendo que dejaba al conde muy penado.

636 —«De lo que dijo el conde tuve muy gran pesar:
ante Dios, contra vos, se llegó a querellar,
pues le queréis vos sola de este mundo sacar,
y si vos lo quisieseis él podría escapar.»

637 Siguió la dueña: —«Infanta, por la fe que debéis,
id en seguida al conde y vos le consoléis;
a un tal conde como éste no lo desamparéis,
si muere de este modo gran pecado haréis.»

638 Entonces respondió a la dueña la infante:
—«Bien os digo, criada, me siento malandante,
de cuantos males pasa mucho soy yo pesante;
pero vendrá sazón de verle bienandante.

639 »Quiero en favor del conde una cosa emprender;
por el su fuerte amor me dejaré vencer;
quiérome aventurar e irémelo a ver,
todo mi corazón he de hacerle entender.»

Doña Sancha en la prisión.

640 La infanta doña Sancha, de todo bien cumplida,
en seguida al castillo fue luego ella subida;
cuando hubo visto al conde se tuvo por guarida.
—«Señora —dijo el conde—, ¿cuál es esta venida?»

641 —«Buen conde —dijo ella—, esto hace el buen amor,
que arrebata a las dueñas la vergüenza y pavor,
olvidan los parientes por el buen amador,
pues lo que éste prefiere lo tienen por mejor.

642 »Por culpa de mi amor, sois, conde, muy penado,
por quien nunca os dio bien, estáis en gran cuidado;
conde, no os aflijáis y sed asegurado,
os sacaré de aquí alegre y sosegado.

643 »Si vos ahora mismo de aquí salir queréis,
pleito y homenaje en mi mano haréis
de que por dueña alguna a mí no dejaréis,
bendiciones y misa conmigo tomaréis.

644 »Si esto no me cumplís, en cárcel moriréis,
como hombre sin consejo nunca de aquí saldréis;
vos, mezquino, pensadlo, si buen seso tenéis;
si vos por vuestra culpa tal señora perdéis.»

645 Cuando esto oyó el conde se tuvo por guarido,
dijo para su adentro: «¡Si fuese ya cumplido!»
—«Señora —dijo el conde—, por verdad os lo digo,
que seréis mi mujer y yo vuestro marido:

646 »quien esto no os cumpliere sea de Dios perdido,
y fáltele la vida como falso descreído;
os lo ruego, señora, en merced os lo pido,
que lo que habéis hablado no lo echéis en olvido.»

647 El conde don Fernando dijo cosa hermosa:
—«Si os fuera posible de hacer esta cosa,
mientras que vos viváis nunca tendré otra esposa:
si esto no os lo cumpliere, fálteme la Gloriosa.»

648 Cuando todo esto hubieron entre ellos afirmado,
luego sacó la dueña al conde don Fernando.
—«Vayámonos, señor, que todo está arreglado,
del buen rey don García no sea sospechado.»

Fuga de doña Sancha y el conde.

649 El camino francés hubieron de dejar,
tomaron a la izquierda por un gran encinar;
el conde, con los hierros, no podía andar:
a cuestas ella, un poco, lo tuvo que llevar.

650 Cuando se fue la noche, quiso el día parecer;
antes que los pudiese hombre ninguno ver,
vieron un monte espeso, se fueron a esconder
esperando la noche que quisiera volver.

651 Dejémoslos allí en las matas estar,
veréis cuánta aflicción les quería Dios dar;
de un arcipreste malo que iba a cazar,
vinieron sus podencos en su rastro a entrar.

El mal arcipreste.

652 Fueron luego los canes do estaban en la mata,
el conde y la infanta fueron en gran rebata;
el arcipreste malo, al ver trampa tan grata,
se alegró cual si hubiera ganado a Damiata.

653 Así como los vió empezó a decir,
dijo: —«Dueños traidores, no os vais a poder ir;
del buen rey don García no os podréis huir,
habréis de mala muerte ambos a dos morir.»

652 d. ***Damiata:*** **Damieta, en la desembocadura del Nilo, conquistada por San Luis, en 1249.**

654 Dijo el conde: —«Por Dios, sea la tu bondad
que nos quieras guardar el secreto en verdad:
en medio de Castilla te daré una ciudad,
de modo que la tengas siempre por heredad.»

655 El falso arcipreste, lleno de crueldad,
más que si fueran canes, no tuvo piedad:
—«Conde, si vos queréis mi silencio en verdad,
dejadme con la dueña cumplir mi voluntad.»

656 Cuando oyó don Fernando cosa tan desaguisada,
más no le afligiría dándole una lanzada.
—«Por Dios —le dijo—, pides cosa desaguisada,
por poco de trabajo demandas gran soldada.»

657 Artera fue la infanta frente a aquel tonsurado:
—«Arcipreste, yo haré lo que quieres, de grado,
pues no nos perderemos nosotros ni el condado;
más vale compartir todos tres el pecado.»

658 Luego añadió la dueña: —«Pensaos de desnudar,
vuestras ropas el conde las habrá de guardar,
y para que él no vea un tan fuerte pesar,
quered vos, arcipreste, de aquí os apartar.»

659 Cuando el arcipreste hubo aquesto oído,
tuvo gran alegría y se creyó guarido;
vergüenza no tenía el falso descreído:
pensó engañar a otro, más él fue el confundido.

660 Hubiéronse entrambos un tanto de apartar,
él pensaba en seguida el asunto lograr;
el arcipreste quiso luego de ella trabar,
con sus brazos abiertos íbala a abrazar.

661 La infanta doña Sancha, dueña tan mesurada
—nunca jamás se vió dueña tan esforzada—,
le cogió de cabeza y dióle gran tirada,
diciendo: —«Don traidor, de ti seré vengada.»

662 El conde no podía a la dueña ayudar,
pues tenía grandes hierros y no podía andar;
pero, cuchillo en mano, pudo hasta ella llegar,
y lograron entrambos al traidor matar.

663 Cuando de tal manera murió el traidor
—nunca quiera tenerle merced el Criador—
su mula y sus ropas y su mudado azor
quiso Dios que tuviesen más honrado señor.

664 Tuvieron todo el día la mula arrendada;
el día fue salido, y la noche llegada;
cuando vieron que estaba la noche aquietada
se pusieron a andar por medio la calzada.

Consejo de los castellanos.

665 Dejémoslos allí entrados en carrera
por llegar a Castilla que muy cerca ya era;
diré de castellanos, gente fuerte y ligera,
no podían avenirse por ninguna manera.

666 Los unos querían esto, los otros querían tal;
como hombres sin caudillo se avenían muy mal;
habló Nuño Laínez, de juicio natural,
buen caballero de armas y a su señor leal.

667 Comenzó su razón muy fuerte y muy oscura:
—«Hagámonos señor de una piedra dura,
que se parezca al conde, con su misma figura;
hagamos a esa imagen todos nosotros jura.

668 »Así como al conde las manos le besemos;
pongámosla en un carro, delante la llevemos:
por amor del buen conde, por señor la tendremos,
pleito y homenaje a ella se lo haremos.

669 »Mientras ella no huya, nosotros no huyamos;
sin el conde, a Castilla jamás nunca volvamos;
al que tornare antes por traidor le tengamos;
la enseña de Castilla en su mano pongamos.

670 »Si fuerte fue el conde, fuerte señor llevamos;
al conde de Castilla a buscar le vayamos,
allá quedemos todos o acá le traigamos;
prolongando esta cosa, mucho menoscabamos.

671 »Al conde de Çastilla muy fuerte honra le damos,
él puja cada día y nos menoscabamos,
parece que él lidia mientras nunca lidiamos;
don Cristo nos perdone que tanto nos pecamos.

672 »Ved qué gloria le damos a un solo caballero;
pues somos bien trescientos y él solo señero,
y sin él no hacemos cuanto vale un dinero:
piérdese buena fama por instante ligero.»

673 Cuando Nuño Laínez acabó su oración,
a los chicos y grandes plugo de corazón.
Respondiéronle luego mucho buen infanzón:
—«Todo lo concedemos, porque es con gran razón.»

La estatua del conde.

674 Esculpieron la imagen, como antes dicho era,
en figura del conde, de esa misma manera;
pusiéronla en un carro de muy fuerte madera;
alzada sobre el carro, tomaron la carrera.

675 Todos, chicos y grandes, a la piedra juraron;
igual que a su señor, así la custodiaron;
para ir a Navarra el camino tomaron,
y en el día primero al Arlanzón llegaron.

676 Con su señor honrado, su enseña tan extraña,
cruzó, al día siguiente, esa buena compaña
por los montes de Oca, una fiera montaña
—solía ser de los buenos y los grandes de España—.

677 Luego los castellanos, compaña tan penada,
fueron a Belorado a hacer otra albergada;
cual a Dios la pidieron, tuvieron tal posada;
partieron, a otro día, al salir la alborada.

Encuentro de los castellanos y el conde.

678 Antes de que una legua hubiesen bien andado,
partida fue la noche y el día fue aclarado;
el conde con su dama venía muy llagado:
cuando la enseña vio, se sintió desmayado.

679 La infanta la vio antes y tuvo gran pavor;
y dijo luego al conde: —«¿Qué hemos de hacer, señor?
Veo una gran enseña, no sé de qué color:
o es la de mi hermano o del rey Almanzor.»

680 Sintieron fuerte apuro, sin saber lo que hiciesen,
no veían montaña donde se guareciesen:
no sabían, cuitados, qué consejo siguiesen,
al no ver sitio alguno donde escapar pudiesen.

681 En fuerte cuita estaban, pues nunca fue tamaña;
si pudieran, querrían subirse a la montaña,
donde se esconderían aunque en una cabaña;
fue mirando la enseña, juzgando la compaña.

682 Conoció por las armas que eran todos cristianos;
no eran de Navarra ni eran de paganos:
reconoció cómo eran de pueblos castellanos
que a su señor querían sacar de ajenas manos.

683 —«Señora —dijo el conde—, no os importe ello nada;
será la vuestra mano de ellos todos besada:
esa enseña y la gente que allí veis vos armada,
no son sino mi enseña y los de mi mesnada.

684 »Hoy os haré señora de pueblos castellanos,
serán todos con vos alegres y lozanos;
todos, chicos y grandes, os besarán las manos;
en Castilla os daré fortalezas y llanos.»

685 Aunque la dama estaba triste y desmayada,
fue con aquestas nuevas alegre y consolada;
viendo que entonces era a Castilla llegada,
rindió gracias a Dios, pues la había bien guiada.

686 Antes de que su pueblo fuese al conde llegado,
avanzó un caballero y supo este recado:
cómo el conde venía alegre y contentado,
que traía a la infanta y estaba muy cansado.

687 Las gentes castellanas cuando aquesto oyeron,
y por cierta la vuelta de su señor tuvieron,
nunca tamaño gozo en su vida sintieron;
todos, con alegría, a Dios gracias rindieron.

688 Del gozo que tenían creerle no quisieron,
se dieron a correr lo recio que pudieron;
antes de que llegasen al conde conocieron,
se acercaron a él, en brazos le cogieron.

689 A besar fueron todos la mano a su señora,
diciendo: —«Somos ricos los de Castilla ahora.
Infanta doña Sancha, nacisteis en buen hora,
por ello os recibimos de todos por señora.

690 »Hicísteisnos merced cual nunca hemos tenido;
cuánto bien nos hicisteis no sería medido;
sin vos, cobrar al conde no hubiéramos podido.

691 »Sacasteis a Castilla de gran cautividad,
hicisteis gran merced a toda cristiandad,
y gran pesar a moros —esto es pura verdad—;
os lo agradezca todo el Rey de Majestad.»

692 Todos, y ella con ellos, con gran gozo lloraban;
pensaban que eran muertos y que resucitaban;
bendecían al Rey del cielo y le alababan;
del llanto que habían hecho en gran gozo tornaban.

693 Entonces se volvieron todos a Belorado;
esta villa marcaba límite del condado;
un herrero muy bueno fue en seguida llamado:
el conde don Fernando fue de hierros sacado.

Bodas del conde y doña Sancha.

694 Fuéronse para Burgos cuan aprisa pudieron;
en cuanto allí llegaron grandes bodas hicieron:
no la aplazaron mucho, bendición recibieron;
todos, grandes y chicos, muy gran gozo tuvieron.

695 Alanceaban tablados todos los caballeros,
al ajedrez y tablas juegan los escuderos;
de otra parte a los toros mataban los monteros;
hubo allí muchas cítolas y muchos vihueleros.

696 Hacían tan gran gozo que mayor no podían.
Dos bodas, que no una, los de Castilla hacían:
una por su señor, que recobrado habían;
otra porque los condes bendición recibían.

VII

PRISIÓN DEL REY DE NAVARRA. AUXILIO AL REY DE LEÓN

El rey de Navarra ataca a Castilla.

697 Antes de que las bodas diesen por acabadas
—ocho días no hacía que eran comenzadas—,
fueron a don Fernando otras nuevas llegadas:
que venía el rey García con muy grandes mesnadas.

698 [Cuando supo esto el conde, envió luego cartas por toda Castilla para que acudiesen a él en seguida caballeros y peones. Y fueron llegando.]

699 Mandó en seguida el conde a sus gentes guarnir;
cuando fueron guarnidas, fue al rey a recibir,
y al cabo del condado vinieron a salir;
tuvieron aquel pleito todos que compartir.

700 Las aces dispusieron, fue el avance ordenado
—aquel era su oficio, al que era acostumbrado—;
el rey dc los navarros estaba preparado.
Comenzaron entrambos un torneo pesado.

700 a. Véase nota a 315 b.

701 Según lo que leemos y se suele contar,
estuvieron entrambos medio día a la par;
cansados eran todos y hartos de pelear;
por poco los navarros se pudieron vengar.

702 Perdieron allí muchos de Castilla la vida,
los navarros lleváronlos del campo gran partida,
de dardos y de lanzas hacían mucha herida:
en poco tiempo fue mucha sangre vertida.

703 Cuando vio don Fernando los suyos retraídos,
y que estaban cansados, todos retrocedidos,
fueron con sus palabras muy fuerte reprendidos:
—«Nuestra culpa hoy destruye futuros y nacidos.

704 »Aunque queráis vosotros en tal falta caer,
yo, por grado o por fuerza, buenos os he de hacer;
si yo muero, querríais nunca nacidos ser,
porque como traidores os han de conocer.»

705 Los reproches del conde no pudieron sufrir;
dijeron: —«Más queremos todos aquí morir,
que don Fernán González nos haga zaherir:
lo que nunca incumplimos, debémoslo cumplir.»

706 Tornaron en el campo, y fueron a embestir
como quienes no tienen pensamiento de huir;
hacían muchos caballos sin jinetes salir,
bien se podrían los golpes a gran distancia oir.

Prisión del rey navarro.

707 Cuando el conde orgulloso, de corazón lozano,
vio a su cuñado el rey en la mitad de un llano,
se puso contra él, la lanza sobre mano:
—«¡Decidamos la lucha nosotros dos, hermano!»

708 Enemigos sabidos, siempre se aborrecieron,
entrambos al encuentro muy sañudos se fueron;
las lanzas abajaron, los pendones tendieron,
en los escudos luego grandes golpes se dieron.

709 Al rey García hirió el señor de Castilla:
tan recia fue la herida que cayó de la silla;
tanto hincóle la lanza, por medio, en la tetilla,
que fuera, por la espalda, asomó la cuchilla.

710 Don Fernando, por fuerza, al rey llegó a prender;
el pueblo de Navarra no le pudo acorrer,
a la ciudad de Burgos le hubieron de traer:
mandóle luego el conde en los hierros poner.

711 Doce meses cumplidos en hierros le tuvieron;
la prisión fue tan mala que peor no pudieron,
por ningunos rehenes nunca darle quisieron.
No era maravilla, porque negra la hicieron.

712 La condesa estimó como desaguisado
que, siendo ella mujer del conde don Fernando,
tuvieran a su hermano cautivo y apenado,
él que era tan buen rey y de rico reinado.

Libértale doña Sancha.

713 Habló a los castellanos en aquella sazón;
dijo pocas palabras y muy buena razón:
—«Saquemos, castellanos, al rey de su prisión,
porque de mí aquejados hoy los navarros son.

714 »Yo saqué de prisión al conde don Fernando,
¿por qué está él ahora contra mí tan errado?

715-728 [»Porque no me quiere dar a mi hermano ni sacarle de la prisión. Por ello os ruego que seáis tan mesurados que supliquéis al conde para que liberte a mi hermano; y yo os lo agradeceré siempre. Y es el primer ruego que os hago.» Respondieron que lo harían de grado. Fueron al conde y le dijeron: —«Señor, os pedimos por vuestra mesura que nos oigáis. Os rogamos y pedimos por merced que deis al rey García a su hermana doña Sancha y le mandéis sacar de la prisión. Obraréis así mesuradamente, y cuantos lo sepan os lo tendrán a bien, pues bien sabéis vos qué gran servicio hizo ella a nosotros y a vos. Y, señor, si hacéis otra cosa, no obraréis bien.» Tanto le persuadieron, diciéndole tantas buenas razones, que lograron que otorgase y cumpliese lo que ahora se dirá. Respondióles el conde que, pues ellos lo tenían a bien y lo querían —y aunque fuera mayor cosa—, lo haría de grado. Y mandó luego que le quitaran los hierros. De allí adelante, le hicieron al rey García muchos placeres y solaces el conde don Fernando y la condesa doña Sancha, su hermana, y los nobles caballeros de Castilla. Después le pertrechó el conde, a él y a sus compañas, de paños, bestias y cuanto hubo menester, y le envió para su reino. En cuanto llegó a él el rey García, fuese para Estella, y convocó a todos los hombres honrados de su reino para hacer cortes. Una vez reunidos, les dijo: —«Amigos, sabéis cómo he sido deshonrado por el conde Fernán González; mi deshonra, vuestra es también; sabed bien que o yo me vengaré de él, o dejaré mi cuerpo en la empresa.»

El rey de Córdoba roba a Campos.

Ahora dejamos al rey don García y volvemos a hablar del rey don Sancho de León. El cual había enviado mandaderos al conde Fernán González para decirle cómo Abderrahman, rey de Córdoba, había entrado en su tierra con grandes fuerzas, y que le rogaba le viniese a ayudar. El conde, cuando lo oyó, se encaminó hacia el rey lo más aprisa que pudo con los caballeros que tenía consigo, pues no quiso tardar más. Y envió cartas y mandados por toda Castilla para que los otros caballeros que no estaban con él, viniesen luego en pos de él. Cuando el rey de León vio al conde, se alegró mucho y le recibió muy bien, pues pensó que le acorría en muy buena sazón. Al cabo de ocho días llegaron los demás de las compañas del conde, y decidieron salir al tercer día al campo a lidiar con los moros, pues esto sería mejor que quedarse encerrados.]

729 Cuando hubieron los moros de esto sabiduría,
cómo estaba allí el conde con gran caballería,
el rey moro de Córdoba en ese mismo día
descercó la ciudad y siguió él su vía.

730 Levantóse de allí, Sahagún fue a cercar,
comenzó toda Campos a correr y a robar;
hubieron estas nuevas al conde de llegar,
con todas sus compañas decidió cabalgar.

731 Caballeros leoneses, compañas de prestar,
salieron con el conde queriéndolo guardar;
no lo quiso el buen conde y mandóles tornar:
tuvieron los leoneses de esto fuerte pesar.

732 El conde don Fernando con toda su mesnada
vino hasta Sahagún y la encontró cercada;

dio a los moros ataque, una lid enconada:
fue luego en ese día la villa descercada.

733 Habían tierra de Campos corrido y robado,
llevaban de cristianos gran pueblo cautivado,
de vacas y de yeguas y del otro ganado
tanto llevaban ellos que no sería contado.

734 Grandes eran los llantos; grandes eran los duelos;
iban los padres presos, y los hijos y abuelos,
mataban, a las madres, sus hijos en brazuelos,
y daban a los padres con sus muertos hijuelos.

El conde persigue a los cordobeses.

735 Iban con el gran robo alegres y pagados,
no podían andar porque iban muy cansados;
fueron por el buen conde en seguida alcanzados,
todos con su venida fueron mal espantados.

736 Embistió luego en ellos, no les dejó vagar,
como águila hambrienta que se quería cebar;
cuando oyeron los moros a Castilla nombrar,
quisieran, si pudieran, en Córdoba estar.

737 Dejáronle su presa, aunque no de su grado,
quien más podía huir se creía afortunado:
el rey de cordobeses quedó allí malhadado,
bendecía a Mahoma tras haber escapado.

738 El conde don Fernando, en ardides cimiento,
señor de buenas mañas, de buen conocimiento,
en los pueblos paganos hizo gran escarmiento
matándolos e hiriéndolos sin ningún sentimiento.

739 Nada de su botín dejó a moros llevar,

pero a los que habían muerto no podía tornar.
Mandó ir a los cautivos todos a su lugar,
decían: —«¡Fernán González, déjete Dios reinar!»

740 El conde don Fernando, con toda su mesnada,
en cuanto fue la presa a sus casas tornada
—por verdad había hecho muy buena cabalgada—,
a León, al buen rey, hizo luego tornada.

Saña de los leoneses contra el conde.

741 Halló a los leoneses sañudos y airados,
por no haber con él ido, hallólos enfadados;
los unos y los otros fueron mal denostados;
reinar allí pensaban sin duda los pecados.

742 La reina de León, navarra natural,
era de castellanos enemiga mortal:
por matarle al hermano, les deseaba mal,
conducirlos a muerte; siempre pensaba tal.

743 Tenía a los castellanos gana de deshonrar,
aguijó a los leoneses con ellos a lidiar;
quería, si pudiera, a su hermano vengar;
por esto no debía nadie la censurar.

744 Era por ambas partes la pasión encendida;
al saberlo la reina túvose por guarida;
allí tenía el diablo una gran tela urdida;
mas fue por el buen rey la pelea impedida.

745 Aunque los separó, fueron mal denostados,
quedáronse unos de otros todos desafiados;
fueron los castellanos a sus tierras tornados;
no fueron por dos años a las cortes llegados.

El conde reclama el precio del caballo y el azor.

746 El buen conde envió a León mensajeros
rogando que le diese el rey los sus dineros.
Dijo el rey: —«A buscarlos son idos mis porteros,
en cuanto que llegaren, le enviaré los primeros.»

747 Volviéronse hasta el conde, dijéronle el mandado:
que don Sancho decía los daría de grado,
mas que aún no le había el tributo llegado,
y por tanto su haber se había detardado.

748 Se alegró mucho el conde porque tanto tardaba,
pensando así tener lo que él codiciaba;
en tardar tanto el pago, el conde más ganaba:
le complacía ver que el plazo se acercaba.

749 El buen rey Sancho Ordóñez dióse muy gran vagar,
hubo después del plazo tres años a pasar;
en los cuales la deuda tanto llegó a pujar
que todos los de Europa no la podrían pagar.

750 Dejemos Sancho Ordóñez en aqueste lugar,
enviando sus dineros al buen conde a pagar,
los cuales don Fernando no los quiso tomar
y vino en este trato la cosa así a dejar.

El rey navarro entra por Castilla.

751 Dejemos todo aquesto y a Navarra tornemos
—aún de los navarros partirnos no podemos—
allá donde quedamos, según lo que leemos:
en Estella quedamos, allá recomencemos.

752 El rey de los navarros en sus cortes estando,
a todas sus compañas muy fuerte se quejando
del mal que le había hecho el conde don Fernando.

753 Díjoles que tal cosa no quería aguantar:
de un condecillo malo tantos daños tomar;
que con él no quería de otro modo tratar,
sino morir en ello o poderse vengar.

754 Se levantó de Estella con todo su poder,
vino para Castilla, comenzóla a correr;
entonces debió el conde contra León mover,
nadie quedó en la tierra para la defender.

755 Corrió el rey la Bureba y toda Piedralada,
corrió los montes de Oca, buena tierra probada,
corrió río de Ubierna, de pan bien abastada,
a las puertas de Burgos hizo su albergada.

756 Quería a la condesa, si pudiera, llevar,
porque bien deseaba al conde deshonrar;
la condesa fue cuerda, se supo bien guardar:
no quiso ver al rey ni siquiera le hablar.

757 Cuando tuvo el condado corrido y robado,
se llevó mucha presa y mucho de ganado,
con muy fuerte ganancia tornóse a su reinado:
mas fue ello al poco tiempo caramente comprado.

El conde desafía al navarro.

758 Cuando fue don Fernando a Castilla tornado,
encontró su condado corrido y saqueado,
de ganados y de hombres halló mucho llevado;
de corazón pesóle, de ello fue muy airado.

759 Mandó al rey don Fernando luego desafiar:
que si lo que llevara no quería tornar,
iría él a Navarra sus ganados buscar:
vería quién podría aquesto le estorbar.

760 Cuando hasta al rey García llegó el caballero,
cumplió su comisión como buen mensajero;
dijo el rey: —«No daré ni el valor de un dinero;
en cuanto al desafío, yo soy muy placentero.»

761 Ni el rey ni don Fernando largos plazos quisieron;
juntaron sus poderes cuan aprisa pudieron,
cada uno de su parte mucha gente reunieron:
en seguida los dos a buscarse anduvieron.

Batalla de Valpierre.

762 Llegaron a encontrarse en un fuerte vallejo,
buen lugar para caza de liebres y conejo,
se da allí mucha grana para teñir bermejo,
al pie le pasa el Ebro, muy airado y revuelto.

763 Valpierre, dicen todos, es como lo llamaron
al lugar donde el rey y el conde se encontraron;
el uno contra el otro, ambos se enderezaron,
y fuerte lid campal allí la comenzaron.

764 No podría más dura ni más violenta ser,
pues todo allí les iba: levantar o caer;
ni el conde ni el rey podrían más hacer,
unos y otros luchaban con todo su poder.

765 Grande fue la batalla, mucho mayor el ruido:
daría alguien gran voz y no sería oído,
el que fuese oído sería gran tronido,
nadie voces ni gritos hubiera comprendido.

766 Grandes eran los golpes, mayores no podían,
los unos y los otros todo su esfuerzo hacían,
muchos caían en tierra que nunca más se erguían,
de sangre los arroyos mucha tierra cubrían.

767 Caballeros navarros bien eran esforzados,
porque en cualquier lugar serían buenos probados,
hombres son de gran cuenta, de corazón lozanos:
mas eran contra el conde todos desventurados.

768 Quiso Dios al buen conde la gracia conceder
de moros y cristianos no poderle vencer:
[Y allí fue vencido don García con toda su hueste.]

VIII

EL CONDE PRESO EN LEÓN
GUERRA CON LEÓN. EXENCIÓN DE CASTILLA

El conde es llamado a cortes.

[Dejemos aquí esta cuestión y volvamos a hablar del rey don Sancho de León y el conde Fernán González. Cuando éste había vuelto a su condado, le llegó un mandado del rey de León diciéndole que o fuera a cortes o dejase el condado. Leídas las cartas del rey, el conde llamó a sus ricoshombres y a los caballeros honrados de Castilla. Luego que fueron venidos les dijo: —«Amigos y parientes, soy vuestro señor natural, y os ruego que me aconsejéis como deben hacer los buenos vasallos a su señor. El rey me envía a decir por sus cartas que le dé el condado; yo quiéroselo dar, pues no me asiste el derecho de mantenerlo por la fuerza y luego se nos reprocharía, a mí y a los que vengan después de mí, el haber hecho otra cosa. Además, no soy yo hombre para rebelarme, ni los castellanos suelen hacer hechos como éstos. Si nos rebeláramos contra el rey de León, luego iría la noticia por España y cuantos buenos hechos hemos cumplido, serían por ello perdidos. Pues si alguien, después de haber hecho cien bienes, comete un solo yerro, éste le tendrán en cuenta y no los bienes;

todo lo cual nace de envidia. Nunca ha habido nadie en el mundo que sea para todos igual; por ello a veces se habla mal del bien, y se elogia el mal. Si nosotros, después de haber sufrido tanta calamidad y haber alcanzado, gracias a Dios, un estado como nunca hubiéramos pensado, lo perdiéramos así, todos nuestros trabajos hubieran sido en balde. Por tanto, como siempre nos hemos preciado de leales, quiero asistir a las cortes, si lo tenéis a bien, para que así no se nos reproche nada. Amigos y vasallos, ya habéis oído lo que os he expuesto; si vosotros supierais otro consejo mejor que éste, os ruego me lo digáis, pues si yo fuera errado, vosotros caeríais en gran culpa. Pues lo que más cumple a un señor es tener buen consejero, que vale más que el que bien pelea, porque del consejero depende el bien y el mal; y el señor debe aconsejarse muy a menudo para que nadie tenga nada que reprocharle, pues por el consejo del mal consejero puede cometer tal yerro que por mucho que pelee no lo podrá enderezar. El buen consejero no debe tener ni miedo ni vergüenza ante el señor, sino decirle toda la verdad y lo que juzga más derecho. Mas hay algunos que en lugar de consejeros son lisonjeros y no quieren o no osan aconsejar al señor sino lo que creen que complace a éste; estos tales no se pueden salvar por la gran culpa en que incurren, pues por mal consejero puede echarse a perder un gran señor. Todo esto os digo para que no menoscabéis la buena honra que tenéis; pues si de ella fuerais apartados por alguna falta, muy difícil será que la recobréis nunca. Amigos, sobre todo es menester que guardéis la lealtad, pues,

Decide cumplir su deber de vasallo.

aunque la carne muere, la maldad hecha por el hombre nunca muere, y la heredan sus parientes. Bastantes caminos para ser buenos y para que os guardéis de yerro os he mostrado, porque antes de pocos días estaréis en tal cuita que necesitaréis seso y esfuerzo. Todos vosotros sabéis que el rey me quiere muy mal, y estoy seguro de que no podré escapar de ser preso o maltrecho; entonces espero ver cómo me acorréis o qué consejo tomáis para librarme. Y os repito que si no quisiere ir a aquellas cortes, me lo podrían echar en cara. Bien sabéis que no debe pelear el hombre culpable, porque Dios no le querrá ayudar; y más vale morir o ser preso que hacer mala acción por la cual los parientes sean reprochados. Y esto es lo que haré, si lo tenéis a bien. Quiérome ir luego, y os ruego que protejáis a García, mi hijo.» Despidióse entonces de ellos y fuese llevando consigo sólo siete caballeros. Al llegar a León no le salió a recibir nadie, lo cual tuvo por mala señal. Al día siguiente fue a palacio y se dirigió a besar la mano al rey, el cual no quiso dársela y le dijo: —«Apartaos allá, conde, que sois muy orgulloso. Bien hace tres años que no queréis venir a las cortes y os habéis rebelado con el condado, por lo cual debéis ser reprendido. Además me habéis hecho muchos pesares y muchos daños, que nunca me habéis compensado. Mas confío en Dios que, antes de que aquí salgáis me lo pagaréis en derecho. Pero si todos los daños que me habéis hecho, los quisierais enmendar tal como mi corte dijere, dadme de ello buenos fiadores.» Cuando el rey hubo acabado su razón, respondió el conde como hombre bien razonado y de buen seso, aunque esta vez

El conde llega a León.

no le aprovecharon de nada: —«Señor, de lo que decís que me rebelé con la tierra, no es cierto que lo hiciera nunca ni por mi origen pude haberlo hecho, pues por lealtad y por maneras me tengo por caballero cumplido; por el contrario, me marché de aquí la última vez deshonrado malamente por los leoneses, y por ello no he vuelto a las cortes. Aunque hay una razón por la cual, si me rebelase con el condado, no lo haría sin derecho, y es que bien hace tres años que sois deudores de mi haber. Sabéis muy bien cómo fue el pleito, pues hay cartas de ello entre vos y yo, que si no me pagabais los dineros en su plazo, fueran doblados cada día. Y vos dadme también fiadores de que me pagaréis mi haber como dice la carta, y yo os daré fiadores de que os indemnizaré de cuantas querellas de mí tenéis según lo mandare vuestra corte.» El rey fue muy sañudo contra él, y le mandó luego prender y meterle en hierros.

El rey manda prender al conde.

Cuando los castellanos supieron que el conde estaba preso tuvieron muy gran pesar, e hicieron por ello tamaño duelo como si le tuviesen delante muerto. También la condesa doña Sancha, cuando lo supo, cayó amortecida en tierra y le duró gran parte del día su desvanecimiento. Mas, cuando volvió en su acuerdo, le dijeron: —«Señora, no hacéis bien en quejaros tanto, porque la queja no aprovecha ni al conde ni a vos. Mas debemos buscar algún modo para sacar al conde por la fuerza, por arte o por cualquiera manera que sea.» Luego se reunieron y discutieron la manera de librarle, proponiendo cada uno lo que le parecía adecuado; mas a pesar de ello no encontraban cómo podrían hacerlo. Y como

Dolor de doña Sancha.

el corazón del hombre siempre está bullendo y no se aquieta hasta encontrar solución para poder cumplir lo que desea, y el gran amor todas las cosas vence haciendo ligeras las pesadas, los castellanos, con el gran deseo de librar a su señor, descubrieron cuál sería lo mejor. Entonces se reunieron quinientos caballeros bien provistos de caballos y de armas, y juraron todos sobre los santos evangelios que irían con la condesa para tratar de librar al conde. Hecho este juramento, partieron de Castilla, de noche, y no quisieron ir por camino alguno, sino por montes y valles desviados donde no les viera nadie ni fuesen descubiertos. Al llegar a Mansilla del Camino, la dejaron a la diestra, y subieron hacia la Somoza, donde encontraron un monte muy espeso en que posaron todos. Allí los dejó la condesa doña Sancha y se fue para León con solo dos caballeros y su esportilla al cuello y su bordón a la mano como romera. Hizo saber al rey cómo iba en romería a Santiago, y que le rogaba le dejase ver al conde. El rey le mandó decir que le placía de buena gana, y salió a recibirla fuera de la villa, como una legua, con muchos caballeros. Entrados en la villa, fuese el rey a su morada, y la condesa fue a ver al conde. Al verla, fue a abrazarle llorando de los ojos. La consoló entonces el conde y le dijo que no se quejase, pues sufrimiento era todo lo que Dios quería en los hombres y que tal cosa acontecía a reyes y a grandes hombres. La condesa envió luego a decir al rey que le rogaba mucho, como a señor bueno y mesurado, que mandase sacar al conde de los grillos, diciéndole que el caballo trabado nunca bien podía hacer hijos. Dijo el rey entonces:

Doña Sancha va en busca del conde.

Entra en León como peregrina.

—«Así Dios me valga, creo que dice verdad», y le mandó quitar los grillos. Y aquella noche holgaron ambos en uno y hablaron mucho de sus cosas, y dispusieron cómo hacer todo lo que tenían pensado si Dios se lo quería permitir. Se levantó la condesa muy de mañana, a los maitines, y vistió al conde con los paños de ella. El conde, disfrazado de esta suerte, se dirigió a la puerta a manera de dueña, y la condesa cerca de él, encubriéndose lo mejor que podía. Cuando llegaron a la puerta, dijo la condesa al portero que se la abriese. El portero respondió: —«Dueña, lo hemos de saber antes del rey.» Díjole ella entonces: —«Por Dios, portero, no ganas nada con que yo tarde aquí y no pueda luego cumplir mi jornada.» El portero, pensando que era la dueña, le abrió la puerta, y salió el conde, mientras la condesa quedó dentro encubriéndose del portero. El conde, en cuanto hubo salido, no se despidió ni habló, para que por ventura no fuese descubierto por la voz y quedase así impedido lo que él y la condesa querían. Fuese luego derecho a un portal, donde, como le consignara la condesa, le esperaban aquellos dos caballeros suyos con un caballo. En cuanto llegó, cabalgó en aquel caballo y se marcharon saliendo de la villa muy encubiertamente y andando lo más deprisa que pudieron, hasta el lugar en que había dejado a los caballeros. Llegados a la Somoza, fueron al espeso monte donde les esperaban, y el conde, cuando lo vio, tuvo con ellos muy gran placer, como hombre que salía de un tal lugar.

Libertad del conde.

Cuando el rey don Sancho supo que el conde se había

El rey envía a la condesa a Castilla.

escapado y qué treta había usado para ello la condesa, le pesó tanto como si hubiese perdido el reino; pero no quiso vengarse con la condesa. Cuando fue hora, fue a verla a la posada donde albergara con el conde, y se sentó con ella para tratar de sus razones y preguntarle cómo había osado ella a sacar al conde de allí. Respondióle la condesa: —«Señor, me atreví a sacar al conde porque vi que estaba en gran cuita y porque era cosa para mí conveniente. Además, atreviéndome con vuestra mesura, creo que hice muy bien; y vos haréis contra mi como buen señor y buen rey, pues soy hija de rey y mujer de muy alto varón; no queráis contra mí hacer cosa desaguisada, pues vuestros hijos son mis deudos, y en mi deshonra vos tendréis gran parte. Y como sois de muy buen entender, debéis escoger lo mejor, y mirar de hacer algo por lo cual no os puedan reprender los hombres; por mi parte, no debo caer en mal por haber hecho derecho.» Oídas las razones de la condesa, respondió el rey: —«Condesa, buena hazaña habéis hecho digna de muy honrada mujer, y vuestra bondad será contada por siempre; mando a todos mis vasallos que os acompañen y lleven hasta donde esté el conde, y que no trasnochéis sin él.» Los leoneses hicieron así como el rey los mandó, y llevaron a la condesa muy honradamente como a dueña de alta guisa. El conde, al verla, fue muy complacido, y pensó que Dios le había hecho muy grande merced. Luego, con ella y su compaña, fuese para su condado.

El conde pide otra vez el precio del

Tras esto, el conde Fernán González —a quien no dejaron estar sosegado ni quedo mientras fue conde de Castilla ni los moros ni los cristianos— envió cartas al rey de León rogándole le pagara el precio del caballo y el azor que le había comprado; que en caso contrario, no tendría otro remedio que tomarle algo en prenda. El rey don Sancho no le envió respuesta, y entonces el conde reunió todas sus fuerzas y entró por las tierras del rey llevándose muchos ganados y hombres. Cuando lo supo el rey don Sancho, mandó a su mayordomo tomar muy grande riqueza e ir al conde a pagarle su deuda y rogarle que le devolviera lo que se había llevado. Llegó al conde el mayordomo, y cuando hubieron echado la cuenta, vieron que la deuda había pujado tanto al ser doblada cada día transcurrido, que ningún hombre de España la podría pagar. Y el mayordomo hubo de regresar sin cumplir la misión. El rey, al saberlo, se sintió muy embargado, pues no encontraba quien pudiera aconsejarle; y, si fuera posible, se arrepentiría de aquella compra, pues por ella temía perder el reino. Viendo, pues, el negocio tan mal parado y que nunca se podría pagar aquella suma, habló con sus vasallos y acordaron que diesen al conde el condado en precio de aquella deuda, de manera que ni el rey ni los reyes que tras él viniesen nunca tuvieran nada en el condado. Al conde le pareció que había hecho un buen negocio y lo aceptó con gusto, viéndose al fin sin preocupación y sin necesidad de besar la mano a nadie en el mundo, si no fuese al Señor de la ley, esto es, al Sumo Pontífice.

caballo y el azor.

El rey declara exento el condado.

Y de este modo salieron los castellanos de cuita y de servidumbre y del poder de León y los leoneses.]

ÍNDICE

Estrofas

ESTE LIBRO
SE TERMINÓ DE IMPRIMIR
EL DÍA 29 DE OCTUBRE DE 1993

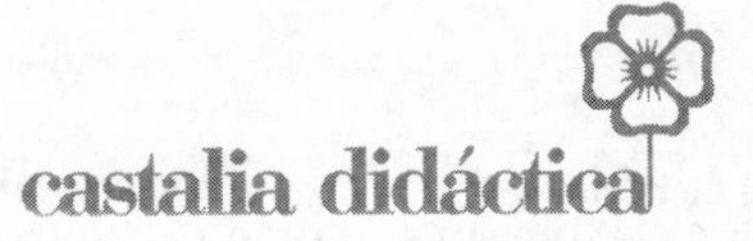

TÍTULOS PUBLICADOS

1 / Pedro Calderón de la Barca
LA VIDA ES SUEÑO
Edición a cargo de José M.ª García Martín.

2 / Jorge Manrique
COPLAS A LA MUERTE DE SU PADRE
Edición a cargo de Carmen Díaz Castañón.

3 / Federico García Lorca
LA CASA DE BERNARDA ALBA
Edición a cargo de Miguel García-Posada.

4 / Gustavo Adolfo Bécquer
RIMAS
Edición a cargo de Mercedes Etreros.

5 / Miguel de Unamuno
SAN MANUEL BUENO, MÁRTIR
Edición a cargo de Joaquín Rubio Tovar.

6 / LA VIDA DE LAZARILLO DE TORMES
Edición a cargo de Antonio Rey Hazas.

7 / José Cadalso
CARTAS MARRUECAS
Edición a cargo de Manuel Camarero.

8 / Arcipreste de Hita
LIBRO DE BUEN AMOR
Edición a cargo de José Luis Girón Alconchel.

9 / Antonio Buero Vallejo
EL TRAGALUZ
Edición a cargo de José Luis García Barrientos.

10 / Lope de Vega
PERIBÁÑEZ Y EL COMENDADOR DE OCAÑA
Edición a cargo de Felipe B. Pedraza.

11 / Antonio Machado
ANTOLOGÍA POÉTICA
Edición a cargo de Vicente Tusón.

12 / Francisco de Quevedo
EL BUSCÓN
Texto de Fernando Lázaro Carreter.
Edición a cargo de Ángel Basanta.

13 / Luis de Góngora
ANTOLOGÍA POÉTICA
Edición a cargo de Antonio Carreira.

14 / Lope de Vega
FUENTEOVEJUNA
Edición a cargo de M.ª Teresa López García-Berdoy y Francisco López Estrada.

15 / Miguel de Cervantes
TRES NOVELAS EJEMPLARES
Edición a cargo de Juan Manuel Oliver Cabañes.

16 / Leopoldo Alas, «Clarín»
RELATOS BREVES
Edición a cargo de Rafael Rodríguez Marín.

17 / Don Juan Manuel
EL CONDE LUCANOR
Edición a cargo de Fernando Gómez Redondo.

18 / ROMANCERO VIEJO (ANTOLOGÍA)
Edición a cargo de María Cruz García de Enterría.

19 / Juan Valera
PEPITA JIMÉNEZ
Edición a cargo de Ana Navarro y Josefina Ribalta.

20 / Francisco de Quevedo
ANTOLOGÍA POÉTICA
Edición a cargo de Esteban Gutiérrez Díaz-Bernardo.

21 / Garcilaso de la Vega
POESÍAS COMPLETAS
Edición a cargo de Ángel L. Prieto de Paula.

22 / ANTOLOGÍA DE LA POESÍA ESPAÑOLA (1939-1975)
Edición a cargo de José Enrique Martínez.

23 / EL CUENTO ESPAÑOL, 1940-1980
Edición a cargo de Óscar Barrero Pérez.

24 / ANTOLOGÍA POÉTICA DE LA GENERACIÓN DEL 27
Edición a cargo de Arturo Ramoneda.

25 / Mariano José de Larra
ARTÍCULOS
Edición a cargo de Juan Bautista Bordajandi.

26 / Lope de Vega
EL CABALLERO DE OLMEDO
Edición a cargo de Juan M.ª Marín Martínez.

27 / L. Fernández de Moratín
EL SÍ DE LAS NIÑAS
Edición a cargo de Abraham Madroñal Durán.

28 / César Vallejo
TRILCE
Edición a cargo de Víctor de Lama.

29 / William Shakespeare
EL REY LEAR
Edición a cargo de Ignacio Malaxecheverría.

30 / Juan Ramón Jiménez
PLATERO Y YO
Edición a cargo de Antonio A. Gómez Yebra.

31 / TEATRO BREVE DE LOS SIGLOS DE ORO: ANTOLOGÍA
Edición a cargo de Catalina Buezo.

32 / Pedro Antonio de Alarcón
EL SOMBRERO DE TRES PICOS
Edición a cargo de Rafael Rodríguez Marín.